Ele o obedeceu e avisou ao pai que, muito assustado, saiu correndo e até se es-
queceu da surra que pretendia lhe dar.
Seu avô continuou:
Não disse, Alair, que estaria a protegendo? Pare de chorar, você não é a cul-
se fosse, eu mesmo lhe daria umas palmadas... — falou rindo e foi-se

Sua História

Aprendi a ler aos quatro anos de idade e, aos oito, muitas vezes passava horas sentada, escrevendo histórias. Com a chegada da adolescência, deixei esse comportamento de lado e só o retomei na forma de psicografia quando, anos depois, meu marido e eu, uma vez por semana, estudávamos os livros de Allan Kardec. Meu braço doía e a mão mexia contra minha vontade. Colocados papéis e lápis na minha frente, comecei a escrever rapidamente.

Nós freqüentávamos as sessões da Federação Espírita e eu participava como médium de incorporação, psicografava e, algumas vezes, utilizava o dom da xenoglassia (faculdade de falar ou escrever línguas estranhas). Nessa época, recebia contos, mensagens de orientação, histórias e, assim, os romances começaram a fluir.

A sensibilidade se abre e vemos muitas coisas que não entendemos. Venho estudando há muitos anos e ainda não tenho todas as respostas. Mas sei que é melhor disciplinarmos o emocional, enfrentar os medos e tomar posse de nós mesmos para que as energias dos outros não nos envolvam.

Se conseguirmos isso e nos ligarmos aos espíritos evoluídos, a mediunidade é uma fonte de conhecimento, saúde e lucidez.

Estudar a vida espiritual abre as portas do futuro, derrotando a morte e nos mostrando que somos seres imortais.

Zibia Gasparetto

Projeto Gráfico: Daniel Pecly e Luiz A. Gasparetto
Assistente de Designer: Priscila Noberto e Marcio Lipari
Revisão e Diagramação: Fernanda Rizzo Sanchez

2ª edição – outubro 2008
20.000 exemplares

Dados Internacionais de Catalogação na Publicação (CIP)
(Câmara Brasileira do Livro, SP, Brasil)

Gasparetto, Zibia
Eles continuam entre nós / Zibia Gasparetto. São Paulo:
Centro de Estudos Vida & Consciência Editora, 2008.
ISBN 978-85-7722-027-4
1. Espiritismo 2. Espíritos 3. Mediunidade 4. Vida espiritual
I. Título.

08-06894 CDD-133-93

Índice para catálogo sistemático:
1. Histórias mediúnicas: Espiritismo 133-93

Publicação, distribuição, impressão e acabamento
Centro de Estudos Vida & Consciência Editora Ltda.
Rua Agostinho Gomes, 2312
Ipiranga – CEP 04206-001
São Paulo – SP – Brasil
Fone/Fax: (11) 2061-2739 / 2061-2670
E-mail: grafica@vidaeconsciencia.com.br
Site: www.vidaeconsciencia.com.br

Eles continuam entre nós

Zibia Gasparetto

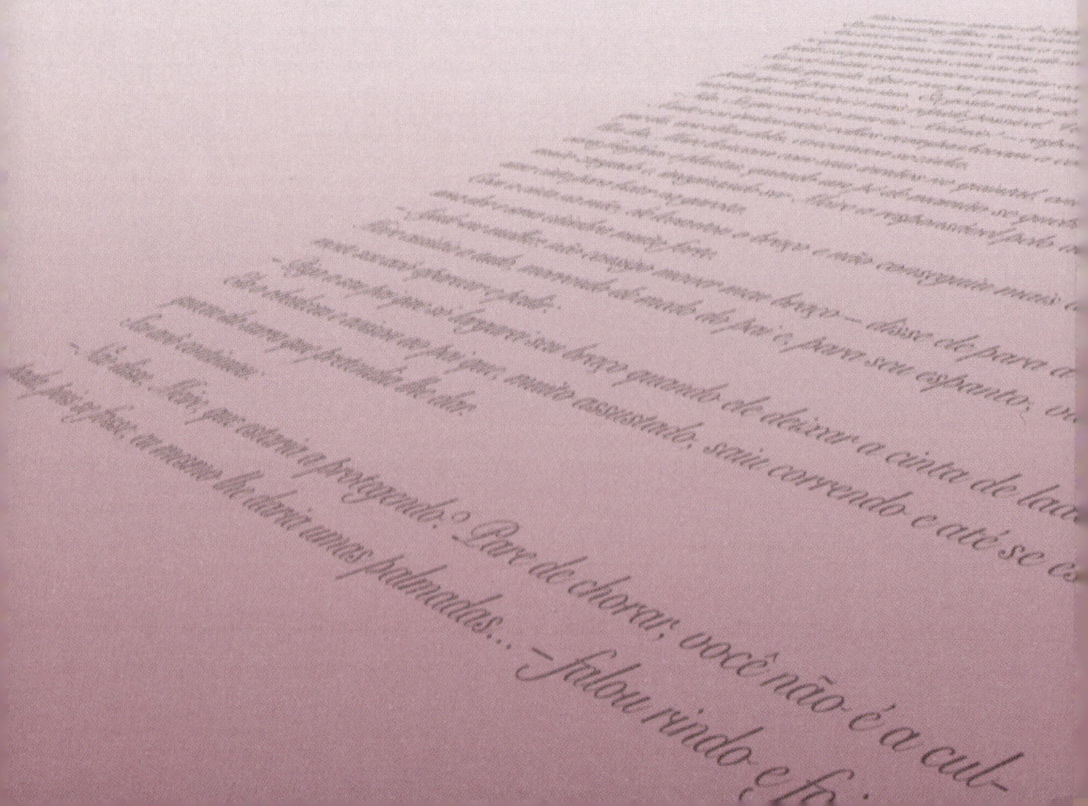
Pare de chorar; você não é a cul-
falou rindo e

Sumário

Introdução	11
Tchau Nona!	17
A Última Canção	21
Carona Inesperada	27
Aviso Oportuno	33
Amigos Para Sempre	39
Na Hora Certa	43
Um Presente Especial	47
Para Onde Foi a Bola?	51
O Acidente	57
O Relógio de Parede	61
A Cadela Vidente	69
O Amiguinho Invisível	73
A Dama da Madrugada	79
Socorro!	83
O Compromisso	89
Uma Mulher de Coragem!	97
Um Atendimento Inesperado	103
Um Santo Remédio	107
Proteção Espiritual	111
A Revelação	117
Visita Providencial	123
O Anjo da Guarda	129
A Surpresa!	133
Aonde Está o Boi?	139
A Volta de Letícia	145
O Incêndio do Andraus	149
Aconteceu no Carnaval	155
Um Caso de Obsessão	159
Encontro no Além	165
A Carteira	171
O Pé de Mamão	179
Roupas Rasgadas	183
Por Uma Vida Melhor	187
Fé Materna	191
Considerações	195

Pare de chorar, você não é a cul-
umas palmadas... —falou rindo e foi
saiu correndo e até se es

Introdução

Acreditar na vida após a morte do corpo físico é uma questão de vivência. Antes que a vida escancare fatos que fazem pensar no assunto cutucando o comodismo de cada um, raros são aqueles que buscam esse conhecimento.

Por preconceito, receio de iludir-se com coisas perigosas ou mesmo pretendendo fugir do confronto inevitável da morte, a maioria só resolve encarar os fenômenos espirituais com seriedade, depois de sofrer perdas de toda sorte; a morte de um ente querido, a falta da saúde, do emprego, do dinheiro ou da paz aparecem para sacudir sua indiferença.

Sem encontrar remédio nos meios convencionais, deprimidos, angustiados, descrentes, cansados e insones, buscam recursos nos meios alternativos, apelando para médiuns, terapeutas e até para a medicina holística, iniciando um processo de reintegração espiritual, de recuperação dos valores verdadeiros da alma, o que pode demandar várias encarnações.

Em minha vivência com os amigos espirituais, descobri que existem caminhos menos dolorosos e que é possível você conquistar o desenvolvimento da consciência sem tantos sofrimentos. Só que para isso terá de pagar o preço do esforço próprio, da coragem de confrontar os valores falsos nos quais acreditou até agora.

A educação errada, verdadeira lavagem cerebral a que todos somos submetidos desde que nascemos, utilizada também por aqueles que nos amam, na intenção louvável de nos proteger contra o mal, de nos ensinar e nos conduzir ao bem, em vez da felicidade desejada tem nos levado ao desequilíbrio, aos altos e baixos emocionais, à limitação dos nossos potenciais, tendo como conseqüência a depressão, o estresse e a insegurança.

É que em vez de valorizarem nosso lado bom, salientarem nossas qualidades, puxarem para fora o que temos de melhor, valorizam o mal, policiam os erros, reprimem atitudes que não se encaixam no modelo estabelecido de normalidade, sem perceber que a vida é versátil e que, mesmo tendo valores próprios e eternos, criaram pessoas diferenciadas, com aptidões diversas que não podem ser enquadradas a uma regra comum.

Claro que há leis de proteção que disciplinam as relações sociais, organizam e mantêm a ordem que nosso bom senso manda acatar e seguir. Respeitar as leis de trânsito, por exemplo, favorece nossa segurança, assim como tantas outras que estabelecem os direitos dos cidadãos.

Não é a isso que me refiro. A organização, a disciplina e a ordem, precisam ser respeitadas porque nos ajudam a viver melhor.

Estou falando dos conceitos de comportamento, do modelo de normalidade estabelecido, do julgamento sumário e deprimente de todos aqueles que são diferentes da maioria.

Esses modelos mudam de acordo com o momento. Antigamente eram mais rígidos, porém, ainda, tanto na escola como dentro de casa, os adultos, a pretexto de educar, forçam as crianças a entrar nos modelos convencionais.

Há padrões para tudo. Para beleza física, para formação profissional, para a vida em família, para o relacionamento afetivo etc. São eles que, colocados como fundamentais desde cedo, estabelecem crenças, obstruem a livre manifestação da vocação profissional, impedem a pessoa de amar com naturalidade, criam bloqueios e conflitos.

Para serem aceitos, agradar e tornar-se bem-vistos, todos entram no contexto da maioria, com medo de serem discriminados e apontados como exceção. Acontece que não há duas pessoas iguais. Então, o recurso é reprimir a expansão do próprio eu e tentar adaptar-se ao convencionado.

Quando você faz isso, trai sua natureza, foge à programação que a vida fez a seu favor, perde a identidade, ignora a própria força, torna-se inseguro. Não sendo honesto consigo mesmo, não expressando o que sente, se impedindo de ser aquilo que é, não confia mais no próprio discernimento nem na própria capacidade.

Como não confia em si, passa a valorizar o que a maioria diz. Vive consultando os outros. Baseia-se nas informações de terceiros para gerir a própria vida. Segue o que eles disseram. Quanto mais famosos e mais importantes forem, mais você se orienta por eles.

A educação acadêmica favorece esse conceito. E, quanto mais culto, mais intelectual, mais você se ajusta a esse papel. Quanto mais ajustado nele, mais incapaz de controlar as próprias emoções, mais deprimido, mais só, mais descrente e amargurado fica.

A solidão, o vazio no peito, a angústia e o abandono que você sente, revelam o quanto está distanciado da sua verdadeira identidade. O quanto você ignorou e reprimiu os valores verdadeiros do seu espírito.

É triste isso, porquanto a vida deseja mostrar-lhe que você pode viver melhor, progredir sem sofrimentos, ir pelo bom senso, pela inteligência. Contudo, você resiste pressionado pelas crenças que aprendeu, continuando a não querer enxergar as coisas como são, com medo de perder o que nunca possuiu. Então, atrai a dor, o sofrimento, a perda real, porque só elas podem quebrar essa auto-hipnose e fazer com que você perceba a verdade.

Quando todas as portas se fecharam, quando tudo quanto você acreditava ruiu, quando não confia em mais ninguém e sente que só pode contar consigo mesmo, só a fé na espiritualidade pode renovar sua confiança na vida e fazer com que você reaja.

Só a certeza de que a vida continua após a morte do corpo físico, de que você é eterno, de que tudo no Universo é perfeito e que a vida responde de acordo com o que você lhe dá, fará com que você saia da inversão de valores a que foi submetido e descubra as verdadeiras causas do que acontece no mundo, modificando seu modo de ver e de fazer suas escolhas.

Então, você ficará mais lúcido, mais perspicaz, usará melhor sua força interior, vai se tornar mais equilibrado e feliz.

A vida me colocou em sintonia com essa realidade e a cada dia reconheço o quanto essa certeza tem contribuído para que eu enfrente melhor os meus desafios. Mudou completamente minha visão de justiça, de solidariedade. Tem permitido que eu conserve minha paz, mesmo me sentindo impotente para modificar e resolver os dolorosos problemas que grassam no mundo.

Eu sei que quando eu não posso, Deus pode. Se ele não resolve é porque não quer e se ele não quer é porque assim será melhor para todos os envolvidos. Deus não erra!

A fé na espiritualidade é pessoal e intransferível. É conquista de cada um.

Por haver sido tão beneficiada pela crença na espiritualidade é que continuo escrevendo, inspirada pelos espíritos desencarnados ou relatando minhas próprias experiências. Essa é uma forma de agradecer à vida todo o bem que esse conhecimento me trouxe.

Acredito que quando um fenômeno é verdadeiro, repete-se em todos os tempos da humanidade. Os "milagres" dos profetas, dos santos, dos iniciados continuam ocorrendo em nossos dias, com a mesma força e as mesmas características.

Quem estiver interessado de verdade e prestar atenção descobrirá que os espíritos desencarnados continuam interferindo no mundo físico, provocando acontecimentos que não podem ser explicados pela lógica materialista.

Ao iniciar meu programa na rádio Mundial, uma vez por semana, comecei a pesquisar esses fatos. Pedi aos ouvintes que tivessem um caso para contar que me escrevessem.

O resultado tem sido maravilhoso. Algumas pessoas que passaram uma experiência que só podia ser explicada pela intervenção de seres de outras dimensões, tiveram coragem para me contar o que nunca haviam contado a ninguém, com receio de serem ridicularizadas.

Esses fatos estão narrados neste livro, como aconteceram. Alguns, contados por pessoas que não tinham nenhuma experiência com mediunidade nem com comunicação de espíritos.

São fenômenos naturais que obedecem às leis universais. É preciso estudá-los devidamente, deixando de lado as crendices do sobrenatural. Só assim poderemos compreender como a vida funciona de fato, agir para obtermos melhores resultados e sermos mais felizes.

Os fatos estão acontecendo, eu tenho boa vontade de contar, tudo trabalha a seu favor, quanto ao aproveitamento, fica por sua conta.

Um abraço.

Zibia Gasparetto

Tchau Nona!

Giovane Mastrososa, casado com Rosa, tinha quatro filhos e residia em Luca, na Itália. Ele era marinheiro, ela tomava conta da família. Cansado da miséria em que viviam, tendo ouvido falar muito sobre o Brasil, Giovane resolveu emigrar com a família. Vieram para o Brasil.

Rosa pensava em voltar para a Itália quando a situação do país melhorasse, mas isso nunca aconteceu. Foram para Minas Gerais, compraram um pedaço de terra e construíram sua vida. Aos poucos, começaram a amar este país, desistiram de voltar. Os filhos foram crescendo, casando e morando todos ao lado dos pais.

Giovane desencarnou, mas a nona Rosa, como era carinhosamente chamada por todos, continuou comandando a família. Mudaram-se todos para São Paulo. Nona Rosa, já com 86 anos, lúcida, usando um avental, passava horas sentada ao lado do fogão, pitando o cigarrinho de palha que ela mesma fazia, tendo ao lado uma latinha, forrada com um pedaço de jornal, a qual, religiosamente de hora em hora, ela cuspia dentro.

Morreu muito idosa, depois de todos os seus filhos já haverem desencarnado, só ficando seus netos e bisnetos.

Seu neto Bruno era um dos herdeiros e alugou a casa da família por vinte anos entrando em acordo com os demais. Um dia ele resolveu demolir a casa que já estava muito velha para construir uma nova.

Começou a demolição e, numa tarde, Rosana, filha de Bruno, foi visitá-lo nas ruínas, levando sua filhinha de dois anos, que se chamava Bruna.

Entraram nas ruínas e Rosana procurou desviar dos entulhos e chegar até onde seu pai estava quando viu a pequena Bruna acenar com a mão e dizer:

– Oi, nona!

Rosana pensou não ter ouvido bem e continuou procurando chegar até o pai. Conversaram algum tempo e quando ela chamou a filha para ir embora viu que a menina olhou para o lugar onde a nona costumava sentar-se, ao lado do fogão, e acenou alegre dizendo:

– Tchau, nona!

Rosana ficou arrepiada. Foi para casa e comentou com sua mãe e as duas resolveram perguntar para Bruna:

– Para quem você acenou lá na casa do vovô?

– Para a nona Rosa. Ela estava fumando e cuspindo em uma latinha! *Agh*!!

***

As crianças têm muita facilidade de perceber a presença de seres do mundo astral. Nos primeiros sete anos de vida ainda estão muito ligadas ao mundo espiritual. Contudo, conforme vão crescendo, essa percepção vai desaparecendo.

É comum as narrativas infantis de seres que elas vêem, de amiguinhos que ninguém mais vê e com os quais elas brincam com naturalidade. Os adultos dizem que tudo não passa de fantasia, mas diante do caso de Bruna, quem se atreveria a dizer isso?

Bruna nasceu depois de a nona ter desencarnado. O fato de a menina reconhecer a nona Rosa pode ter sido por causa de alguma foto que ela tenha visto. É comum as pessoas da família conservarem fotos antigas nas paredes e mostrarem às crianças dizendo quem foram.

Bruna pode ter reconhecido a nona assim. Esse ponto não foi esclarecido por quem relatou o caso. Mas se ninguém lhe mostrou nenhuma foto, ela pode ter conhecido a nona Rosa no astral, antes de reencarnar. Bruna também poderia ter conhecido a nona em outra encarnação.

O mais importante é que uma criança de apenas dois anos, nunca teria como inventar uma história dessas.

Quanto à nona, após a morte do corpo físico, pode ter continuado a viver ali, junto das pessoas da família, no lugar a que se habituara por tantos anos, fazendo o que fazia antes.

Quando a pessoa morre é assistida por amigos espirituais que a convidam a deixar este mundo. Contudo, quando ela se recusa, eles deixam que as coisas sigam um curso natural.

Nona Rosa ficou apegada ao passado durante anos, alheia à realidade. Mas a vida providenciou a mudança, inspirando seu neto Bruno a que demolisse a casa e construísse outra no lugar.

Com a construção da nova casa, nona Rosa com certeza percebeu que o passado não mais existia. Que tudo estava diferente e que era hora de seguir outro rumo.

Talvez então, em algum lugar, ela tenha finalmente reencontrado seu Giovane, o marinheiro bonito e audacioso que um dia não teve medo de mudar, de partir do seu país com a família para um lugar desconhecido, com outro povo, outros costumes, outro idioma, para tentar melhorar.

Caso enviado por:
Fátima Castilho
Rua dr. Luiz Carlos, 1.316
Vila Aricanduva – São Paulo

A Última Canção

Sônia Crocco nos conta um grande acontecimento presenciado por mais quatro pessoas muito ligadas a ela. Erenita, sua prima, filha de Helena, sem religião definida; Fátima, amiga de Erenita, espírita; Marivalda, católica, vizinha e companheira de fé de Helena, ambas participantes do coral dos Carismáticos da Igreja Nossa Senhora Aparecida, na Vila Paulicéia, em São Bernardo do Campo e Delmita, sua mãe, cunhada de Helena, espírita.

Sua tia, Helena Crocco Mantovani, católica, irmã de seu pai, desencarnou em 8 de maio de 1995.

Helena era uma pessoa boa, alegre e gostava muito de cantar. Quando se reuniam, lá estava ela a brincar com todos. Quando a família se encontrava, ela puxava o coro entre os presentes e a festa começava.

Era muito querida por todos, sempre alegre, com boa vontade e pronta a ajudar quem precisasse, inclusive colaborou na criação da sobrinha Sônia.

Uma fatalidade aconteceu e na mesma semana em que sua filha Erenita ia se casar ela teve um problema de coração. Sônia ficou na esperança de que a tia iria superá-lo; mas infelizmente recebeu a notícia do seu desencarne.

Sônia a amava muito, mas quando chegou ao velório, em vez de tristeza, sentiu grande alegria. Em seu coração havia apenas um grande amor pela tia e uma vontade muito grande de agradecer tudo o que ela havia feito. Sentia grande alegria, tudo era maravilhoso e a tristeza de uma breve separação não tinha nenhum sentido para ela. Estava feliz, muito feliz, pelo carinho que sentia por Helena.

Sua mãe, que tanto estimava a cunhada, também não estava chorando. O ambiente era sereno e calmo.

Eram muitas as pessoas presentes. Um pouco antes de o enterro sair, companheiros de fé religiosa de Helena compareceram para lhe fazer uma homenagem. Entre eles estava a amiga Marivalda.

O coral dos Carismáticos começou a cantar. Sônia e a mãe estavam sentadas uma ao lado da outra. Fátima e Erenita estavam do outro lado. Marivalda e o coral cantavam em volta do corpo. Foi aí que começou a emoção maior. Dentre todas as vozes do coral, uma se destacou, límpida e forte. Era a voz de Helena, cantando como sempre fizera com os amigos.

Ao ouvi-la cantar, Sônia chorou de emoção; percebeu que sua mãe também chorava, mas não disse nada.

A canção terminou e o enterro foi realizado. Uma vez em casa, passadas algumas horas, Sônia ligou para a mãe para saber como ela estava. Então o comentário saiu. Ela também tinha ouvido a voz de Helena.

Naquele dia, Delmita foi até a casa da falecida para saber se todos estavam bem. Encontrou Marivalda, Erenita e Fátima conversando. Não perdeu a oportunidade e perguntou:

– Quem no coral tem a voz parecida com a de Helena?

– Por quê? – indagou uma delas.

– Curiosidade.

– Ninguém tinha a voz igual a dela.

– É que eu e a Sônia ouvimos perfeitamente a voz de Helena cantando com o coral.

As três confessaram que também tinham ouvido. Todas chegaram à conclusão de que Helena queria que todos guardassem uma lembrança alegre dela, assim resolveram que ninguém ficaria triste com sua partida. Mas em seus ouvidos guardariam para sempre a lembrança da sua última canção como a dizer que a morte não é o fim, que a vida continua mais além, cheia de alegria e luz.

***

Poucas pessoas sabem que ser espiritual é cultivar a alegria. Imaginam que os espíritos superiores sejam circunspectos, sérios. Isso não é verdade.

A alegria é o tônico do espírito. Cantar faz bem à alma, harmoniza o espírito, liga-nos com as forças positivas da natureza.

Foi por tudo isso que ela estava lúcida e acordada no próprio velório, fato não muito comum por causa dos nossos medos e dos preconceitos.

A morte é natural e quando o espírito a aceita sem dramatizar pode ficar acordado como Helena. Ela manteve alegria, mesmo tendo de se separar do marido, da filha, dos parentes e amigos.

Não perdeu tempo dramatizando uma situação inexorável, da qual não podia voltar atrás. Aceitou com alegria. Cantou na hora da despedida. Fez com que seus parentes não sofressem nem lamentassem sua partida.

Como ela conseguiu cantar mesmo depois de morta? Usando as energias dos presentes. Os espíritos podem conseguir efeitos físicos por meio do ectoplasma. Uma substância que eles manipulam extraindo energias próprias dos que são médiuns e misturando-as a alguns elementos astrais.

Acredito que ela não tivesse conhecimento técnico para fazer isso, mas algum amigo espiritual a ajudou, criando os elementos necessários para que esse fenômeno de voz direta ocorresse. Esse fato acontece em sessões de efeitos físicos. A voz se manifesta sem o auxílio direto do médium e todos a ouvem. Foi o que aconteceu com Helena.

Mas desencarnar assim, com essa

alegria e naturalidade, é um bom exemplo para nos ensinar a lidar de maneira harmoniosa e adequada com a morte dos entes queridos.

É o que a vida quer nos ensinar, permitindo que essas manifestações ocorram.

Caso enviado por:
Sônia Crocco Bernardo (sobrinha de Helena)
Rua Francisco Tollotti, 507
São Bernardo do Campo – São Paulo

Carona Inesperada

Aconteceu com o caminhoneiro Gesuminno, em 1973, quando ele fazia muitas viagens de São Paulo para o Rio de Janeiro. Em uma dessas viagens, à noite, rumo ao Rio, ele dirigia tranqüilo quando um carro o ultrapassou piscando o farol e fazendo um sinal para chamar sua atenção.

Com medo de que fosse um assalto, naquela época tão comum na via Dutra, ele não deu atenção e prosseguiu. No primeiro posto da Polícia Rodoviária, um policial o parou.

Solicitou seus documentos, vasculhou cuidadosamente a carga alegando que recebera uma denúncia que havia caroneiros na carroceria.

– Como, seu guarda? Não dei carona a ninguém, só parei no pedágio!

Depois de tudo vasculhado, o policial liberou o veículo e Gesuminno comentou:

– Tinha um carro que me seguia dando insistentes sinais para eu parar. Mas eu fiquei com medo de assalto e não parei. Vai ver que eles ficaram com raiva e fizeram essa denúncia.

– Fez muito bem. É perigoso parar em locais ermos. Pode seguir e boa viagem.

– Obrigado, seu guarda. Boa noite.

Gesuminno seguiu e quando passava pela cidade de Floriano, bateram insistentemente em cima da cabine do caminhão e ele ouviu alguém dizer:

– Pare aí seu moço que "nois vai descê"!

Assustado, Gesuminno acreditou ser realmente um assalto. Diminuiu a velocidade e foi para o acostamento. Ao frear o veículo, tratou de esconder a cabeça para não ser atingido por uma possível bala.

Escutou um rocejar, como se alguém estivesse descendo pela corda que amarrava a carga do caminhão, e logo em seguida ouviu a mesma voz:

– Obrigado, seu moço. Boa viagem. Vá com Deus!

Aí ele teve coragem de olhar para os lados. Mas não viu ninguém. Só percebeu que estava parado diante do cemitério de Floriano que fica nas margens da via Dutra.

***

O que será que os ocupantes do carro que seguiu Gesuminno viram para seguir o caminhão e fazer insistentes sinais para ele parar? Como ele ficou com receio de conversar com eles, não ficou sabendo o que eles haviam visto.

Mas é fora de dúvida que perceberam a presença de alguém sobre a carga, o que não é permitido. Ninguém pára em viagem a não ser por extrema necessidade. Na tentativa de proteger o caminhoneiro ou mesmo a pessoa que viajava de carona, fizeram a denúncia à Polícia Rodoviária, certos de que eles resolveriam o assunto.

Porque então eles não viram ninguém? É evidente que os espíritos desencarnados desejavam dar uma prova da sua presença ao Gesuminno. Para isso, provocaram alguns fenômenos de efeitos físicos, utilizando-se de ectoplasma (substância formada por energias que algumas pessoas encarnadas têm, que eles manipulam com outras e que permite aos espíritos desencarnados intervir na matéria).

Isso tornou possível que as pessoas do outro carro vissem o espírito ou os espíritos (não sabemos se era mais de um), e que o caminhoneiro e o policial não vissem nada.

Na hora de desembarcar o espírito pediu ao Gesuminno para parar. Ele ouviu a voz e o ruído dele descendo pela corda do caminhão. É claro que ele queria registrar sua presença.

Só não sabemos se ele pegou carona e pediu para o Gesuminno parar para ele poder descer apenas para que ele soubesse da sua existência ou porque, apesar de desencarnado, ainda conservava os hábitos da Terra, sem ter aprendido a volitar.

Há pessoas que morrem e ainda desconhecem que como espíritos têm outras aptidões.

Durante certo tempo após a morte, locomovem-se como quando tinham ainda o corpo de carne. Tomam condução, escondem-se da chuva com medo de molhar-se, andam a pé etc.

E o que será que o carona foi fazer em um cemitério àquela hora da noite? Buscar algum parente ou amigo recém-desencarnado?

Segundo contam os espíritos amigos, os cemitérios são locais muito movimentados no astral. Há os que vão buscar os parentes ou amigos recém-desencarnados que ainda não se desvencilharam por completo dos laços carnais, ajudando-os a se libertar e protegendo-os dos espíritos mais atrasados que vivem nesses locais se alimentando das energias mais densas dos corpos recém-chegados.

Sem falar dos encarnados que freqüentam os cemitérios na calada da noite fazendo oferendas aos espíritos em troca de favores pessoais, alguns inconfessáveis. São pessoas que não aceitam os fatos da vida e têm a pretensão de intervir de acordo com o que elas "acham" que deveria ocorrer. Atraem espíritos "justiceiros" e tão pretensiosos quanto elas, que lá vão aceitando as oferendas e fazendo um pacto, passando a fazer parte de suas vidas.

Claro que os resultados serão sempre dolorosos. É da lei. Quem age contra a vida tem de pagar o preço.

Não fiquei sabendo o que aconteceu com Gesuminno depois desse fato. Claro que ele nunca mais foi o mesmo. Deve ter pensado muito e ter chegado à conclusão de que a vida continua após a morte. E que neste mundo existem muito mais coisas do que nossos olhos podem ver.

Caso enviado por:
Rosa Antonietti (irmã de Gesuminno)
Rua Francisco Munhoz Filho, 28
Itaquera – São Paulo

Aviso Oportuno

Regina tinha uma irmã caçula que estava grávida de quatro meses quando o pai delas morreu. Ele era muito apegado a Sheila e preocupado com sua saúde, por ela ser diabética. Sua gravidez era de risco e os médicos não garantiam a vida do bebê nem a dela.

Às seis horas da manhã do dia 27 de outubro de 1986, Regina, que morava na mesma casa com Sheila e o marido dela, estava em seu quarto, ainda deitada, quando olhou para a porta que estava fechada e viu um vulto branco. Logo depois reconheceu ser seu pai. Em volta da cabeça dele havia uma luz clara. Estava com um manto marrom, seus cabelos eram brancos como algodão, tinha os pés descalços e flutuava.

Assustada, Regina cobriu a cabeça querendo esconder-se, mas foi inútil. Quis gritar, não conseguiu. Sentiu seu corpo paralisado, porém seus sentidos estavam mais vivos, seu cérebro agitado e seu coração descompassado.

Ela ouviu a voz do pai e ele pareceu-lhe muito aflito, porém ela não conseguia entender suas palavras. Teve impressão de que ele falava em outra língua.

Regina estava com tanto medo que sequer prestou atenção em suas palavras; pedia que ele fosse embora, rezava em pensamento para que Deus o levasse.

Quando ele desapareceu, ela conseguiu sair desse transe, que durou por volta de três minutos, levantou-se e imediatamente em sua mente veio o pensamento de que sua irmã estava em perigo e que já era hora de ela dar à luz.

O marido de Sheila estava viajando a trabalho e as duas estavam sozinhas em casa. Regina correu até o quarto da irmã batendo na porta com insistência. Sheila, quase se arrastando foi abrir dizendo que a bolsa de água havia rompido durante a madrugada e ela estava esperando amanhecer o dia para chamá-la.

Imediatamente, Regina ajudou-a a vestir-se, chamou um táxi e ambas foram para o hospital. Assim que chegaram, os enfermeiros colocaram Sheila em uma maca e a levaram diretamente para a sala de parto.

A cesariana demorou cinco horas. Regina, que esperava angustiada do lado de fora, assim que a médica saiu da sala, aproximou-se e perguntou:

– Então, como foi? Ela está bem?

– Ainda não posso garantir nada. Vamos

esperar para ver como vai acordar. Fizemos o possível. Se você tivesse demorado um pouco mais, teria sido impossível fazer alguma coisa para salvá-la.

Sheila acordou bem e se recuperou completamente. A criança viveu apenas seis horas e faleceu.

Regina tem certeza de que Sheila foi salva graças à intervenção do espírito de seu pai que a avisou do perigo. Ela conta que agora sempre que alguém da família ou algum conhecido vai morrer ele aparece para avisar. Ela não gosta, preferia não saber, mas não tem como evitar. Conformou-se, porém pediu a ele que não aparecesse daquela forma e sim a procurasse só em sonhos, ao que ele atendeu.

***

Os laços de amor continuam para sempre, mesmo após a morte. O pai de Sheila fez o que pôde para ajudá-la naquela hora difícil e conseguiu. O dia da morte de cada pessoa não está marcado como muitos acreditam.

Quando você reencarna, traz consigo várias possibilidades que vão depender das suas atitudes durante a vida e de como você reage diante dos desafios que seu espírito enfrenta. Assim, você pode abreviar sua estada aqui ou prolongá-la.

Mesmo o espírito da criança que viveu apenas seis horas, não tendo consciência do

momento que estava enfrentando, contribuiu para esse desfecho. O receio de esquecer todo o passado, enfrentar uma nova vida neste mundo é muito forte e isso pode até fazê-los recuar na hora do nascimento.

Esse é o caso de crianças que na hora do parto, em vez de forçar a saída para baixo, preferem forçar para cima. Tenho visto alguns casos assim.

Algumas vezes, esse espírito conhece detalhes de algumas situações que terá de enfrentar no mundo e embora no astral tenha se preparado para isso, na última hora resolve recuar.

A Regina não estava totalmente acordada quando viu o espírito de seu pai. Estava voltando, naquele estado entre o sono e a lucidez. Por esse motivo quis gritar, mover-se e não conseguiu. Com o medo, em vez de voltar ao corpo, quis fugir e afastou-se mais dele.

Com certeza, seu pai falava normalmente, porém ela não se sintonizou com ele, ao contrário, só queria que ele fosse embora. Por tudo isso não entendeu as suas palavras.

Por que tanto medo do próprio pai? Ele estava ali como amigo. Mas a morte sempre aparece na cultura terrena como algo misterioso e os espíritos como sobrenaturais. Entretanto, nada mais natural do que a continuidade da vida. Ela faz parte da natureza. Todos a possuem.

Apesar do medo, Regina tem mediunidade. Ela sente a presença dos seres de outras dimensões e percebe quando seu pai a procura. Ele continua se comunicando com ela e prevenindo-a da morte das pessoas ligadas a eles, para que ela se prepare e enfrente a situação com serenidade. Nesses momentos, enviar energias de luz e fé sempre ajuda quem está partindo e até os parentes que ficam, fortalecendo-os.

Esses fatos indicam que seja o que for que tenhamos de passar, estamos todos protegidos, não só pelos nossos parentes desencarnados, pelos espíritos amigos, mas também pela vida, que faz tudo certo e age sempre para o melhor.

Caso enviado por:
Maria Regina Guimarães (irmã de Sheila)
Avenida Acragnole Dória, 383
Jardim Vila Formosa – São Paulo

Amigos para Sempre

Daniel veio para São Paulo ainda jovem. Aqui se casou e constituiu família. Passaram-se os anos, mas ele nunca deixou de ir visitar os amigos em sua cidade, no interior.

Sempre que tinha algum tempo livre ia para lá encontrar-se com eles para uma pescaria e ficava por alguns dias.

Entre todos seus amigos havia um com o qual ele tinha mais afinidade. Quando Daniel chegava, ele deixava todos os afazeres e o acompanhava na pescaria, mesmo sem os outros companheiros.

Em uma dessas viagens, Daniel, ao chegar na entrada da cidade, olhou em direção a uma lojinha na beira da estrada e viu seu amigo. Parou o carro, desceu e foi ao seu encontro dizendo:

– Olá! O que está fazendo aqui?

Ele, abraçando-o, respondeu:

– Estava esperando por você. Sabia que viria hoje.

Conversaram trocando as novidades,

entraram na lojinha, tomaram um trago como era costume e foram embora juntos.

Daniel sempre se hospedava na casa do seu compadre e o amigo o acompanhou. Foram passando por várias porteiras até chegar à fazenda do compadre de Daniel, onde ele iria ficar.

Então, o amigo se despediu dizendo:

– Aqui eu me despeço. Daqui eu não posso passar.

Daniel não entendeu por que ele estava dizendo aquilo. Ele sempre o acompanhava até a casa do compadre. Imaginou que teria acontecido alguma coisa entre eles e não quis comentar.

Despediram-se com um abraço e Daniel seguiu em frente. Na casa do compadre foi recebido com a mesma alegria e carinho de sempre. Café feito na hora, bolo etc.

Ficaram conversando um bom tempo até que Daniel resolveu entrar no assunto do amigo finalizando:

– Ele disse que da porteira da sua fazenda não podia passar. Aconteceu alguma coisa entre vocês?

– Claro que não. O que está me contando é impossível! Tem certeza de que era ele?

– Tenho.

– Não pode ser! Ele morreu alguns dias atrás! Ninguém lhe contou?

– Você está brincando comigo! Isso não pode ser! Quer me assustar? Nós nos encontramos e até tomamos um trago na lojinha da beira da estrada, lá na entrada da cidade.

Depois de muito terem discutido sem chegar a nenhuma conclusão eles foram até a lojinha verificar.

Diante do compadre de Daniel, que estava boquiaberto, o comerciante afirmou:

– Eles estiveram aqui e tomaram um trago sim. Fui eu quem os serviu. Por quê?

Sem maiores explicações e em silêncio os dois saíram da loja. Depois desse fato, o que poderiam dizer?

***

A materialização de espíritos na Terra é mais constante do que você pode pensar. Quantas vezes, sem perceber teremos cruzado e até conversado com espíritos desencarnados, temporariamente materializados no mundo?

Não se trata de ficção, não. Eles fazem isso mesmo. Seja para realizar algum trabalho que deixaram por terminar, seja para abrir o entendimento de alguém em relação à sobrevivência da alma após a morte ou mesmo para despedir-se das pessoas queridas, como ocorreu com Daniel.

Claro que ele se materializou, pois foi visto também pelo comerciante. Tomou um trago com Daniel. Aí você vai dizer que espírito não

bebe e que ele com certeza era um espírito atrasado.

Não seja preconceituoso! Ele não se embebedou, apenas cumpriu um ritual que sempre faziam quando se encontravam. Primeiro para mostrar ao amigo que era ele mesmo e que continuava vivo; depois para que quando Daniel descobrisse que ele já estava morto, não pensasse que fora apenas uma alucinação.

Quem duvida da vida após a morte, mesmo que tenha uma vidência clara, pode acabar por acreditar que tenha sofrido uma alucinação. Muitas pessoas no mundo vêem espíritos, mas não querem acreditar.

O amigo de Daniel não quis deixar nenhuma dúvida. Deu provas de que não era uma ilusão, de que era ele mesmo. Depois disso quem se atreveria a duvidar?

Caso enviado por:
Odete Ferrari Castilho (amiga da família de Daniel)
Rua dr. Luiz Carlos, 1.316
Penha – São Paulo

Na Hora Certa

Em 14 de abril de 1993 o marido de Maria de Souza Moraes, despediu-se da esposa e saiu para o trabalho. Lá, sofreu um mal súbito e veio a falecer.

Casados havia vinte anos, tinham três filhos saudáveis e eram muito felizes. O marido tinha por hábito receber o pagamento e entregar a maior parte para Maria, uma vez que era ela quem pagava todas as despesas da família, ficando com ele apenas uma pequena parte que ele escondia em algum lugar da casa, onde ninguém sabia.

Quando acontecia de o dinheiro de Maria acabar, ela recorria a ele que, em tom de brincadeira, dizia:

– Procure onde está. Se encontrar vou lhe dar todo o dinheiro.

Ela procurava, procurava e nunca o encontrava. Quando ela já estava exausta e reconhecia que não conseguiria achar, ele acabava indo buscar e dava o que ela precisava.

Três dias depois do falecimento do marido,

Maria começou a sonhar que havia dinheiro escondido em algum lugar da casa. O sonho foi tão real que no dia seguinte ela virou a casa toda em busca do dinheiro, mas não conseguiu encontrá-lo. Contudo, esse sonho se repetia e ela às vezes voltava a procurá-lo, sem obter êxito.

Um dia ela estava lavando o banheiro quando teve sua atenção voltada para o porta-toalhas. Alguém havia tirado o suporte da toalha, serrado um pedaço de cano que estava no quintal, colocado uma parte em seu lugar e jogado a outra atrás do cesto de roupas.

Quem teria feito aquilo? Maria ficou furiosa. Decidiu investigar. Pegou o pedaço de cano que substituíra o suporte de toalhas e já ia sair para descobrir o autor do estrago quando percebeu que dentro do cano havia alguma coisa.

Foi até a pia e bateu o cano para tirar o que havia dentro e para sua surpresa saíram três notas de quinhentos cruzeiros (moeda usada na época), um pouco mofadas de umidade.

Maria esqueceu-se da raiva e ficou muito contente. Estava precisando de dinheiro para comprar mantimentos e "aquele", como ela mesma disse, "havia caído do céu". Satisfeita, foi ao supermercado e comprou o que necessitava.

Tentou encontrar quem havia serrado o cano e colocado lá, mas ninguém sabia de nada.

À noite ela estava assistindo à televisão e o presidente da república anunciou a mudança da moeda para real. A partir do dia seguinte, o cruzeiro deixava de ter valor.

Foi aí que Maria, muito emocionada, teve a certeza de que fora o marido quem a fez encontrar o dinheiro na hora certa, pois se demorasse mais um dia ele perderia o valor.

***

É gratificante perceber que os laços de amor e amizade não acabam após a morte. O marido de Maria continuou pensando no bem-estar de sua família e encontrou uma forma de ajudá-los, apesar de estar vivendo em outra dimensão.

Ficou claro que foi o marido quem a fez descobrir esse dinheiro, mas de que forma ele conseguiu isso?

Há duas possibilidades. Na primeira e mais simples, ele teria envolvido alguém da família, quebrado o porta-toalhas e inspirado a que a pessoa fosse ao quintal, apanhasse aquele cano que continha o dinheiro, o serrasse e colocasse no lugar para evitar uma repreensão.

Essa seria a hipótese mais simples, mas não foi comprovada. Tendo encontrado o dinheiro em um momento de tanta necessidade, Maria, em vez de contrariada, ficou feliz com o acontecimento. Por essa razão, se alguém

tivesse feito isso, certamente teria contado a verdade. Contudo, todos negaram.

O mais provável é a segunda hipótese: ele fez tudo sem a ajuda de nenhuma pessoa da casa.

Os espíritos podem atuar no mundo material utilizando o ectoplasma (energia que permite os fenômenos de efeitos físicos).

Não tendo conseguido que Maria entendesse onde ele havia escondido o dinheiro durante os sonhos, sabendo que ele perderia o valor no dia seguinte, conseguiu uma quantidade de ectoplasma necessária, apanhou o cano, serrou e o colocou em um lugar bem visível para que ela o encontrasse. Fez mais, inspirou-a ir ao mercado no mesmo dia porque se ela esperasse seria tarde demais.

É provável que para conseguir esse efeito ele tenha recebido ajuda de espíritos mais elevados, já que a causa era justa. Mas o mais importante é que ele conseguiu e depois disso, Maria sentiu que apesar de viúva, não estava sozinha. Que o companheiro que tanto amava continuava a seu lado, com o mesmo amor e carinho de sempre. Não é o mais importante?

Caso enviado por:
Maria de Souza Moraes (viúva que encontrou o dinheiro)
Rua Professor Kiochi Kiscgimoto, 211
Vila Moraes – São Paulo

Um Presente Especial

Dalvina residia muito distante da cidade onde sua mãe morava. Quando ela adoeceu, não conseguiu visitá-la, por mais que desejasse.

Depois de alguns meses, quando sua mãe faleceu, ela ficou inconformada. Não só por não ter ido vê-la com vida como por só ter recebido a notícia de sua morte depois do funeral.

Abalada, ela chorava muito. Dizia que todas as suas irmãs haviam ficado com algum objeto que pertencera à mãe como lembrança e somente ela não ficara com nada. Por mais que a família procurasse confortá-la, ela não parava de chorar.

Uma noite, Dalvina sonhou com sua mãe que lhe pedia com insistência:

– Filha, não chore mais. Fico muito perturbada quando você chora. Ajude-me a encontrar a paz.

– Não consigo, mãe. Eu gostaria de ter ido me despedir de você, mas não pude! Depois, todas ficaram com alguma lembrança sua, menos eu.

– Não se atormente mais com isso. Eu deixei uma lembrança para você também. Procure naquele seu baú onde guarda coisas antigas e vai achar.

O sonho foi tão vivo que no dia seguinte Dalvina contou ao marido que respondeu:

– Eu não acredito em sonhos. Em todo o caso, se você quiser vá dar uma olhada...

Dalvina deu um tempo, rezou, pensou, pensou até que decidiu abrir o velho baú. Dele foi tirando tudo o que havia. Bem no fundo, encontrou um terço que ela reconheceu como sendo o que sua mãe sempre usava.

Aquele terço pareceu-lhe uma jóia preciosa. Pegou-o com carinho e contentamento.

Depois de muito tempo, suas irmãs foram visitá-la. Conversaram muito contando as novidades e por fim Dalvina foi buscar o terço, contando o que havia acontecido e como o encontrara no baú.

Naquele momento, uma de suas irmãs levantou-se surpreendida e exclamou:

– Como ele veio parar aqui? Eu mesma o coloquei nas mãos da mamãe dentro do seu caixão. Ela foi enterrada com ele!

***

As lágrimas de Dalvina, sua tristeza, estavam perturbando a paz do espírito de sua mãe. Quem morre deixa tudo no mundo e parte para a outra vida sem saber ainda o

que vai encontrar. Sente-se só e precisa de certo tempo para se equilibrar e aceitar a mudança. Alguns ficam em estado de semiconsciência, como em um sonho, outros adormecidos.

O estado de lucidez é relativo ao desenvolvimento espiritual de cada um. Varia de pessoa para pessoa, de caso para caso, dependendo do gênero de morte, da aceitação da separação dos seres amados e do desapego das coisas materiais que deixou na Terra.

Por tudo isso é difícil saber como será essa fase para cada pessoa. O que se sabe é que quando os familiares que ficaram aceitam o fato com naturalidade, mandam pensamentos bons, as pessoas têm mais facilidade para vencer esses momentos.

Quando alguém fica inconformado, lamenta-se, chora, exala energias de tristeza e dor, elas fatalmente vão envolver o desencarnado. Alguns não conseguem seguir seu novo caminho em paz por causa disso.

Foi o caso da mãe de Dalvina. Ela estava consciente e resolveu dar um jeito na situação. Certamente os espíritos que a amparavam a ajudaram, permitindo que ela encontrasse a filha em sonho, o que é muito comum acontecer.

Mas ela fez mais. Sabia que só com o sonho a filha não iria acreditar. Precisava dar a ela alguma coisa que a confortasse. Assim, transportou o terço que haviam colocado em suas mãos no caixão até o velho baú.

Como ela fez isso? Certamente conseguiu com o auxílio de outros espíritos uma quantidade de ectoplasma (que permite aos espíritos manipularem a matéria densa), que a fez realizar esse fenômeno de transporte.

Dessa forma, deu a toda a família uma prova de amor, e mais ainda da sobrevivência do espírito após a morte. Conhecer essa realidade conforta, aumenta a confiança na vida e ajuda a encontrar a paz.

Caso enviado por:
Dolores de Carvalho Rocha (filha de Dalvina)
Rua Bacelar, 342
Parque da Mooca – São Paulo

Para Onde foi a Bola?

Quando era criança, J.Z.S. costumava passar as férias do seu curso primário (atual ensino fundamental) em uma pequena fazenda pertencente ao seu tio, situada em um vilarejo que reunia pequenos agricultores. Ele vendia sua produção agrícola para o Vale dos Sinos, como é conhecida hoje aquela região, que fica próxima à cidade de Novo Hamburgo, no Rio Grande do Sul.

Essas férias tinham para o menino um encanto especial, seja pela beleza exuberante do lugar, seja pela companhia gostosa dos primos e seus amigos renovados a cada ano.

Eles costumavam sair explorando a região, distanciando-se muitas vezes cinco ou mais quilômetros, em busca de aventuras. Levavam um cantil com água fresca e, claro, uma bola para uma possível "pelada".

Certo dia os meninos se afastaram um pouco mais seguindo por uma estradinha que cortava uma pequena mata e terminava em um descampado de verdejante grama. Ótimo lugar para uma "pelada".

Entretanto, chamou a atenção deles uma velha propriedade muito próxima, rodeada de frondosas árvores e agreste vegetação, de tal sorte que mal podia ser vista da estrada. A casa imponente tinha janelas deterioradas, o portão de ferro estava completamente enferrujado e não tinha nenhuma utilidade. A moradia estava silenciosa, sem sinal de moradores, em completo abandono.

Os meninos, curiosos, pularam o que fora o muro e tentaram abrir a porta da frente. Não conseguindo, foram explorar o quintal e a porta dos fundos que também estava trancada.

Sem poder entrar, satisfeita a curiosidade, voltaram ao campo em frente decididos a jogar bola. Delimitaram as goleiras. Uma camisa de cada lado separava um espaço de um metro. Começaram a jogar. Estavam em quatro.

A um chute mais forte, a bola saltou do gol imaginário, repicou e foi parar mansamente diante do portão da casa.

Um deles foi buscar a bola e os outros perceberam que ele demorava a voltar, abaixando-se aqui e ali, procurando. Alguém do grupo gritou:

– Ei! O que está acontecendo?

– Não estou encontrando a bola.

– Está cego? Ela está ali junto ao portão – respondeu outro, caminhando em direção à casa, seguido pelos demais.

Procuraram minuciosamente e não conseguiram encontrá-la. Pularam novamente o muro da casa e começaram a procura. Iam desistir quando um deles gritou:

– Aqui nos fundos!

Todos correram na direção do amigo que acenava junto a um poço no fundo do quintal, encoberto pela vegetação. Eles debruçaram-se sobre a borda e para surpresa deles, lá no fundo do poço seco estava a tão procurada bola. Espantados e na impossibilidade de resgatá-la resolveram retornar à fazenda.

No dia seguinte, mais calmos e com a curiosidade aguçada, J.Z.S. e um dos amigos decidiram voltar ao local para uma melhor avaliação.

Depois de uma hora e meia de caminhada, experimentaram certa hesitação diante da casa, mas reagiram e pularam o muro. Correram na direção do quintal, debruçaram-se na borda do poço e para assombro deles, nem sinal da bola. Ela havia desaparecido misteriosamente. Ninguém, a menos que possuísse uma corda ou escada de seis metros poderia ter penetrado ali. E, ao que tudo indicava, o local estava abandonado.

Confusos, os dois apressaram-se a deixar o local. De volta à fazenda, procuraram o tio de J.Z.S. e contaram o que havia acontecido. Ele ouviu em silêncio e depois comentou:

– Há quinze anos viveu ali uma família de alemães. Os pais e um guri de seis anos eram refugiados da Segunda Guerra Mundial. Não foram bem recebidos pelo pessoal do vilarejo, uma vez que o Brasil lutara na guerra contra a Alemanha e havia animosidade. Em uma noite, que até hoje ninguém pode precisar por que aconteceu, a família sofreu um atentado. Mãe e pai, muito feridos, salvaram-se. O guri foi cruelmente assassinado e seu corpo jogado em um poço nos fundos da casa.

J.Z.S. acredita que tenha sido o espírito do garoto assassinado que brincou com eles, pregando-lhes uma peça. Fica intrigado, no entanto, com o fato de que passados quinze anos da sua morte, seu espírito ainda permanecesse no local como uma criança.

***

É chocante notar que uma família tentando escapar da violência da guerra tenha se refugiado exatamente no local onde a encontraria. O brasileiro tem fama de ser generoso e acolhedor. Difícil entender o que se passou ali. Como e por que essa família foi tão cruelmente atingida? Talvez por acreditar na violência como solução de seus problemas tenha atraído essa agressão. É difícil saber o que realmente ocorreu.

Com os meninos, no entanto, é provável que o autor da brincadeira tenha sido mesmo o espírito do garoto assassinado. Inconformado com o que lhe aconteceu ele pode ter permanecido no local durante esses quinze

anos, tentando esclarecer e apontar os culpados. Escondendo a bola, ele pode ter pretendido não brincar, mas chamar a atenção sobre o caso na tentativa de conseguir que alguém se interessasse em investigar e punir os culpados. Ele sabe quem foi e a impunidade do assassino pode estar impedindo-o de seguir em frente e esquecer o passado.

O tempo que cada pessoa leva para equilibrar-se após a morte varia conforme o conhecimento espiritual, as condições como o espírito vê seu desligamento, o nível de apego que tem com pessoas e coisas.

O trauma que o espírito do menino sofreu com essa brutal agressão onde perdeu a vida pode tê-lo encarcerado em seu inconformismo, bloqueado sua sensibilidade, fazendo-o parar no tempo. Nesse estado, ele pode ter se recusado a atender todos os que tentaram ajudá-lo, mantendo a idéia fixa de vingar-se ou de restabelecer a verdade tornando pública a injustiça que acreditava ter sido vítima.

Esse estado causa muito sofrimento. Se o que ocorreu com ele foi isso, ele viveu esses quinze anos sofrendo e revivendo a agressão, duplicando o próprio sofrimento inutilmente.

Não creio que ele estivesse ali apenas para brincar. Ninguém gostaria de ficar em um local onde sofreu uma tragédia. As recordações são inevitáveis e todos nós fugimos dos locais que sugerem amargas lembranças.

Ele estava lá, cristalizado no tempo, esperando uma justiça humana que muitas vezes falha, sem confiar na vida que responde a cada um de acordo com aquilo que dá.

Talvez esteja lá até hoje sofrendo e esperando pela justiça dos homens ou talvez já tenha compreendido a inutilidade dessa atitude, despertado para a ajuda espiritual e descoberto por que atraiu tudo isso em sua vida. Talvez, tenha percebido a incapacidade de seus agressores de conhecer o bem, obtido a certeza de que os perdoando iria se libertar do passado e os entregaria à própria responsabilidade de seus atos.

A vida costuma dar certo tempo para que o espírito experimente o caminho escolhido. Neste momento, ele ainda pode estar lá, prisioneiro do sofrimento, da angústia, preso ao seu desejo de vingança. Ou pode ter retomado sua vida, estar em outro lugar, renovado, feliz, progredindo e aprendendo a viver melhor.

Em qualquer dos casos, a escolha é só dele. Nós só podemos torcer para que ele já tenha acordado.

Caso enviado por:
J.Z.S. Lopes
Rua Antonio Carlos Pereira, 133
Parque São Domingos – São Paulo

O Acidente

Aconteceu no ano de 1972. A mãe de Dalva adoeceu e precisou ser internada no Sanatório Maria Imaculada. As visitas eram feitas às quintas e domingos e Dalva costumava comparecer juntamente com o pai e as irmãs.

Num sábado, Dalva dormiu e sonhou que uma máquina a diesel se chocou com um trem lotado de passageiros. Ela viu pessoas embaixo do trem sendo atendidas por homens de branco, gritos, confusão.

Essas cenas foram fortes e ficaram registradas em sua mente como um filme gravando todos os detalhes.

No dia seguinte ela teria de tomar esse trem para ir visitar a mãe e sentiu medo.

– Vai acontecer um acidente horrível. Nós não devemos ir naquele trem – disse ela ao pai e irmãs que se preparavam para sair.

– Isso é bobagem – respondeu o pai. – Nós vamos. Não acreditamos nessas coisas.

Nada aconteceu e quando eles voltaram não pouparam os comentários:

– Você e suas “bobeiras”. Não aconteceu nada, viu?

– Eu não falei? – completou o pai.

Ao que Dalva respondeu:

– Não aconteceu, mas vai acontecer. Eu não vou visitar a mãe na próxima semana.

– Você não vai e deixa a mãe triste. Ela até chorou quando viu que você não estava conosco – comentou uma das irmãs.

Ao que a outra completou:

– Você sempre foi a queridinha dela.

Dalva ficou muito triste por causa disso, pois sempre que ela não ia, a mãe, que sofria de tuberculose, tinha uma recaída. Mas ainda assim quando chegou a quinta-feira e a irmã convidou-a, não teve coragem de ir.

Uma das irmãs foi até a estação e chegou atrasada. Perdeu o trem e teve de esperar o próximo. Só então ficou sabendo que havia acontecido um acidente com o trem que ela perdera: era o trem dos estudantes que ia para Mogi das Cruzes.

Dalva, que morava perto do pronto-socorro, conta que foi terrível. As sirenes passavam a toda hora transportando os feridos, que eram em grande número, tentando salvá-los.

Naquela noite, Dalva sonhou com três dos homens de branco que vira socorrendo pessoas embaixo do trem. Vestiam camisetas onde se lia “Liberdade, igualdade, fraternidade”.

***

Dalva não teve um sonho comum. Foi uma premonição. Ela entrou na faixa do tempo e viu o que aconteceria alguns dias depois.

A saída do corpo com lucidez, a viagem astral ou projeção, como atualmente é chamada, é diferente do sonho comum. É vibrante, causa forte impressão e a pessoa tem certeza de que é um fato real.

Por esse motivo, Dalva tinha certeza de que o acidente aconteceria, como de fato ocorreu.

O fato de ela ter sido avisada e mesmo de sua irmã ter perdido aquele trem demonstra que ninguém da família estava marcado para passar por aquela tragédia.

Comprova mais uma vez que nada ocorre ao acaso. De alguma maneira, as pessoas que devem passar por determinada experiência são reunidas naquele local e momento.

Quantas vezes ouvimos contar sobre pessoas que se salvaram de desastres de avião por terem se atrasado ou trocado a passagem na última hora, por conta de algum acontecimento inesperado?

Um dado curioso foi o que estava escrito na camisa dos espíritos que prestaram socorro: "Liberdade, igualdade, fraternidade". Esse slogan teve origem na Revolução Francesa. Era o grito com o qual os revolucionários combatiam e consta agora até no Hino Francês.

Em que pese a contribuição dessa revolução no progresso dos povos, houve muita violência, crueldade, abuso de poder. A monarquia foi substituída na posse do poder por pessoas ignorantes. A guilhotina funcionou ininterruptamente durante muito tempo e cortou a cabeça até do seu inventor, o que demonstra que cada um experimenta o que impinge aos outros.

Sabendo que tudo acontece no momento certo, do jeito certo e que a vida faz sempre o melhor, eu me pergunto: Por que as pessoas que estavam naquele trem foram reunidas ali para essa experiência? Por que os espíritos socorristas traziam o lema da revolução francesa estampado na camisa? Será que naquele trem estavam pessoas que participaram daquela revolução e que por causa de suas atitudes atraíram esse acidente em suas vidas?

Não tenho as respostas. Mas uma coisa eu sei. Cada um é inteiramente responsável pelas suas atitudes e escreve o próprio destino. Pensando assim, não é melhor escolher apenas o bem?

Caso enviado por:
Dalva Alexandre Fochetto
Rua Erotides de Paula, 25
Poá – São Paulo

O Relógio de Parede

No ano de 1927, Luciano, um jovem de vinte e sete anos, solteiro, adquiriu de um amigo em pagamento de uma dívida, um belíssimo relógio de parede, com pêndulo, desses que tocam.

Ele se afeiçoou muito ao relógio, morria de ciúmes e sempre o colocava bem no alto da parede para que ninguém mexesse, só ele.

Luciano era marceneiro e notou que toda vez que estava para acontecer alguma coisa, geralmente um acidente de trabalho, o relógio parava como que para avisá-lo.

Luciano casou-se em 1932 e teve três filhos. O primeiro faleceu com poucos meses, a segunda, Neide (mãe da pessoa que está contando a história) e Osvaldo. Quando esse menino era pequeno o relógio parou e todos se assustaram esperando alguma notícia que acontecia sempre depois de dois dias.

Desta vez, Luciano sofreu um acidente de trabalho e perdeu um dedo da mão.

Osvaldo cresceu e foi motivo de preocupação para os pais. Quando criança sempre doente, quando adulto irresponsável, alcoólatra. Apesar de tantas fraquezas ele era muito simpático, carismático, possuía mediunidade, mas não aceitava.

Em 1969, quando Luciano ficou viúvo, Osvaldo, que estava separado da esposa, foi morar com ele.

Márcia, neta de Luciano sentia grande afinidade com o avô e como ele ficava sozinho, ela ia muitas vezes fazer-lhe companhia. Ele era excelente cozinheiro e até hoje ela nunca se esqueceu do aroma de suas comidas, especialmente as sopas.

Em janeiro de 1974 o relógio parou às 5h30 da manhã, só que desta vez para anunciar o falecimento do seu dono, que ocorreu exatamente nessa hora.

Neide, mãe de Márcia herdou o relógio. Osvaldo casou-se novamente, mas continuou causando problemas para a família. Mudou-se para Curitiba e convenceu a irmã a acompanhá-lo. A família inteira foi para Curitiba.

Como a situação financeira dele era precária, todas as despesas foram cobertas pela família. Depois que eles se mudaram para aquela cidade tudo começou a piorar.

A começar pelo relógio que, após ser colocado na parede da nova casa de Neide, nunca mais funcionou. Foi levado várias vezes a um conceituado relojoeiro que apesar de ter se esforçado chegando a ficar uma noite até a madrugada tentando consertá-lo, não conseguiu. O estranho era que o único movimento que os ponteiros faziam era para trás. Para a frente estava travado. O relojoeiro não entendia o que estava acontecendo. O jeito foi deixá-lo de lado.

Osvaldo piorava dia a dia ocasionando muitos problemas à família que vivia em pé de guerra sem um mínimo de sossego.

A situação chegou a um ponto que a família se cansou de confusão e cortou relações com Osvaldo, chegando a pedir na justiça o despejo da casa que haviam alugado para ele.

Quando finalmente cortaram o último vínculo com Osvaldo, assinando os papéis, algo curioso aconteceu. Uma tarde, Márcia, naquela época casada e com dois filhos, estava em casa e sentiu muito sono. Deitou-se e dormiu. Quando acordou, não conseguia se mexer e começou a sentir um cheiro forte de sopa, não qualquer sopa, mas a sopa de seu avô Luciano. Naquela hora sentiu muita saudade dele.

Quando conseguiu se mexer, levantou-se e foi verificar de onde poderia ter vindo o cheiro. Não poderia ser da casa dos vizinhos, pois as residências eram isoladas e separadas.

Telefonou para a mãe e contou o que havia acontecido e ela sem dizer nada pediu que Márcia esperasse e escutasse. Passados alguns segundos, ela ouviu o relógio badalar as horas. Então Neide contou que sentira um impulso para mexer no relógio e que ele, como num passe de mágica, começara a funcionar.

Márcia não se conteve e foi à casa da mãe verificar. O relógio estava funcionando normalmente. O impulso de Neide ocorrera na mesma hora em que Márcia sentira o cheiro da sopa do avô.

As duas ficaram muito emocionadas com a certeza de que Luciano estivera ali. Compreenderam que o relógio ficara parado durante um ano e meio advertindo que todos estavam no caminho errado.

Colocaram as casas à venda e em alguns meses toda a família estava de volta a São Paulo. O relógio, desde aquele dia, nunca mais parou, guardando em si mesmo um mistério que está além da nossa imaginação.

***

A vida continua após a morte do corpo. Quem morre neste mundo vai viver na outra dimensão. Todos nós viemos de lá, mas como estamos temporariamente esquecidos do passado, há muita curiosidade.

Os espíritos têm trazido informações a respeito, algumas confiáveis, outras misturadas às fantasias das pessoas. Entretanto, o que se pode deduzir com certeza é que nas dimensões próximas ao nosso planeta, onde residem os espíritos que permanecem ligados a nossa humanidade, há uma sociedade organizada muito semelhante a nossa. Inclusive, as necessidades físicas de cada um continuam

existindo, uma vez que o corpo astral precisa preservar as funções que possui com vistas às futuras reencarnações.

Claro que com algumas diferenças. Não existe procriação, mas o relacionamento sexual afetivo, a alimentação etc., continuam, certamente adequados às energias e à evolução do meio onde o espírito passa a viver.

Eles têm muito interesse em tudo o que acontece na Terra, porquanto deixaram aqui pessoas que amam e também porque um dia deverão voltar a reencarnar.

Todas as noites quando dormimos, deixamos o corpo e vamos visitar o astral. Quase sempre, ao acordar, esquecemos onde fomos e o que fizemos. A barreira do corpo de carne é forte para a maioria, embora alguns já consigam ter consciência de suas viagens astrais.

Mas para os espíritos desencarnados é fácil observar as pessoas encarnadas, tentar influenciá-las de acordo com seus interesses. Para o corpo astral, a matéria concreta do nosso mundo é rarefeita e eles podem atravessá-la com facilidade.

Portanto, para eles não há portas nem paredes que os impeça de nos observar. Podem até ouvir nossos pensamentos íntimos. Dá para imaginar o que sentem os desencarnados quando visitam seus entes queridos na Terra e descobrem que eles estão escolhendo errado, fazendo coisas cujos resultados serão desastrosos e lhes trarão sofrimento.

Como não podem interferir no livre-arbítrio de cada um, tentam se comunicar por meio de sinais, símbolos que poderão chamar a atenção da pessoa, fazendo-a refletir e perceber os enganos.

Foi o que aconteceu com o espírito que se utilizava do relógio de parede para avisar o Luciano do que ia acontecer, tentando fazê-lo pensar na espiritualidade. Tanto ele gostou do processo que por fim o utilizou após a morte para avisar a família que eles estavam agindo de forma errada.

Ajudar as pessoas é difícil. Requer conhecimento espiritual para não atrapalhar o processo de desenvolvimento delas. É comum dentro da uma família a vontade de "salvar" o parente que se revela fraco diante das tentações e procede mal, principalmente se ele for alegre, agradável, simpático.

Enquanto a vida trabalha para que ele responda pelos seus atos e possa reavaliar suas atitudes de outra forma, a família faz o contrário. Tenta protegê-lo, assumindo suas dívidas, encobrindo suas fraquezas.

Alegam que agem assim por amor. Entretanto, na maioria dos casos, o fazem por vaidade, para que os outros não saibam a verdade ou pensando no próprio sossego, para não se aborrecerem com os problemas.

O verdadeiro amor dá espaço para que a pessoa experimente suas escolhas sem críticas ou julgamentos, mas com firmeza, posicionando-se no bem, não alimentando ilusões, valorizando o presente e as oportunidades de progresso.

Toda pessoa irresponsável tem a cabeça cheia de ilusões. Sonhos impossíveis, manias de grandeza. Vão da euforia à depressão. Como não conseguem o que esperam mergulham nos vícios, nos negócios ilícitos.

Sempre dá errado, não confiam na própria capacidade e se iludem cada vez mais, formando um círculo vicioso do qual têm dificuldade para sair.

Foi o que a família de Osvaldo fez. Luciano tentou avisar parando o relógio e fazendo seus ponteiros só andarem para trás. Na verdade, superprotegendo Osvaldo eles estavam trabalhando contra a vida que desejava fazê-lo assumir a responsabilidade de suas atitudes. Essa é a única forma para que ele aprenda.

Estando contra a vida, todos os negócios da família andavam para trás. Quando finalmente compreenderam e pararam, tudo se normalizou. Pode até ser que hoje, três anos depois de a família ter deixado de se envolver nos negócios dele, Osvaldo já tenha começado a perceber a verdade.

Seja qual for a situação que estejamos enfrentando, é sempre bom tentar entender o que a vida quer nos ensinar. Quando descobrimos, tudo se resolve, mas se não conseguimos, resta-nos confiar e esperar

fazendo nosso melhor porque a vida nunca erra, trabalha sempre pelo progresso e pelo bem.

Caso enviado por:
Márcia S.S. Medeiros
Rua Chamantá, 86
Parque da Mooca – São Paulo

A Cadela Vidente

Suely possui quatro cachorros: a Fifi (pretinha, de cinco quilos e nove anos), que só se coça; a Meg (pretinha, de seis quilos e dois anos), muito brincalhona; o Guido (vinte quilos e dois anos e meio), que é medroso e guloso; e a Branquinha (treze quilos e dez anos), que é calma e equilibrada. De todos eles, Branquinha é a predileta, está sempre ao lado da dona.

Suely tem vidência, mas questiona muito o que vê. Acha que pode ser excesso de imaginação.

Um dia ela estava na sala lendo enquanto esperava o esposo voltar da faculdade onde fazia um curso de matemática. A Branquinha dormia tranqüila no tapete, enquanto os outros cães estavam no quintal.

De repente, Branquinha acordou e saiu correndo, desceu a escada que dava para a saída, mas quando a subiu novamente Suely viu que ela perseguia um homenzinho muito pequeno, que mais parecia um rato vestido.

Ela ficou perplexa ao ver aquele pigmeu

tomando a direção do escritório e Branquinha atrás, desesperada para pegá-lo.

Entre livros, pastas, computador e muitos papéis, o que o gnomo queria no escritório? Suely foi atrás para ver e descobriu que ele desapareceu embaixo de uma pilha de revistas velhas onde estava um pacote de terra adubada que ela havia comprado para os vasos e havia esquecido.

Quando ela examinou o pacote descobriu que não se tratava de terra comum adubada como pensara, mas de húmus de minhoca. Uma terra cheia de ovos de minhoca que já estavam se desenvolvendo, se transformando em um berçário de minhoquinhas.

Então Suely entendeu. Aquele pequeno ser queria que ela visse e as libertasse. Assim, ela colocou-as em seu meio, nos vasos cheios de plantas para que se desenvolvessem. Elas teriam morrido se o gnomo não tivesse chamado sua atenção.

Suely, que sempre duvidara da existência dos seres elementais, descobriu que eles existem mesmo. Teve prova de que sua vidência não era excesso de imaginação. Mas a descoberta mais curiosa é que sua cadela de estimação Branquinha, também era vidente.

***

Os seres elementais trabalham em favor da natureza ajudando no desenvolvimento

das plantas e mantendo a vida no planeta. Não são humanos nem reencarnam. Cumprem seu papel natural e não possuem discernimento. Os devas, gnomos ou fadas têm a função de preservar a vida e ajudar a manter o equilíbrio ecológico.

Videntes de todas as partes do mundo já os viram e na Inglaterra há até quem já os tenha fotografado. Eles só aparecem na foto depois que o filme é revelado. O fotógrafo não os vê.

Os animais também são paranormais. Possuem sensibilidade para perceber coisas além dos cinco sentidos. Cavalos mansos de repente sem que nada aconteça se assustam, empacam, empinam, por vezes até derrubam o cavaleiro; cachorros latem para a parede ou para um canto da casa onde não se vê nada, ou se entristecem quando acontece alguma coisa para seu dono, mesmo que ele esteja longe.

Eu mesma tive um poodle chamado Sansão que costumava latir desesperado embaixo de uma árvore do nosso jardim nos chamando para ir até lá. Muitas vezes eu ou um dos meus filhos fomos até o local, mas nada havia de diferente naquela árvore. Até que um dia, meu filho Luiz viu um deva que estava calmamente acomodado no alto de sua copa. Então entendemos que ele via, mas queria que víssemos também. Depois que descobrimos isso, nunca mais ele foi até lá latir.

Sansão era de estimação. Eu o criei desde pequenino. Viveu dezessete anos, tempo longo demais para os de sua raça. No fim, velho, além de cego estava muito fraco e mal podia caminhar. Nossos vizinhos o conheciam muito bem e quando ele era mais novo e escapava, os meninos da vizinhança o traziam de volta.

Acontece que um dia ele desapareceu. Quando meu filho e eu chegamos em casa à noite, depois de um dia de trabalho, ele havia desaparecido. Imediatamente saímos a sua procura. Ele não poderia ter ido longe por causa de seu estado.

Procuramos pelo bairro todo e não conseguimos encontrá-lo. Ninguém o vira. Algum tempo depois, inconformada com seu estranho desaparecimento, perguntei a um espírito amigo o que havia acontecido. Ele me respondeu:

– Estava na hora de ele desencarnar, mas ele não queria deixá-la de forma alguma. Estava tão apegado a você que foi preciso afastá-lo de sua casa para poder levá-lo.

Uma vez eu o vi no astral. Estava alegre e muito bem. Entretanto, ainda não consigo explicar como foi que ninguém o viu mesmo depois de morto. Até parece que seu corpo se desmaterializou. Se isso aconteceu mesmo, nunca vamos saber.

Caso enviado por:
Suely Flutuoso
Rua Baltazar de Moraes, 180
Vila Nivi Tucuruvi – São Paulo

O Amiguinho Invisível

A morte de um jovem sempre deixa a família muito triste. Foi o que aconteceu com Cecília quando perdeu um parente adolescente.

Mas como a vida continua, tempos depois Cecília teve a notícia do nascimento de sua sobrinha, que veio dar a todos muita alegria.

A menina, inteligente, alegre e saudável, sempre se referia a um amiguinho que só ela enxergava.

Na hora da refeição pedia um pratinho para ele. No playground não deixava ninguém se sentar na balança que ficava ao seu lado, dizendo que ele estava lá.

Na escola não queria ninguém na carteira do lado e a professora não entendia por que deixar uma carteira vazia.

A família procurou uma psicóloga que sugeriu a todos não dar importância. Disse que ela tinha excesso de imaginação, o que era comum em sua idade, e que com o tempo voltaria ao normal.

Um dia a mãe da menina conseguiu um

retrato do jovem que havia falecido tão prematuramente e, contente, colocou-o em um porta-retratos sobre um móvel da sala.

Grande foi sua surpresa quando a menina, vendo o retrato, deu um gritinho e disse:

– Que bom! Uma foto do meu amigo. Viu como ele existe? Onde foi que vocês conseguiram uma foto dele?

Nessa hora foi grande a comoção de todos porque a menina havia nascido depois do falecimento dele.

***

É comum crianças até os sete anos perceberem a presença de seres, situações e fatos que ocorrem na outra dimensão, e que os olhos humanos não conseguem ver.

Os primeiros sete anos de vida é uma adaptação do espírito que até então vivia no astral e precisa acostumar-se à nova reencarnação.

Nos primeiros dias, o bebê dorme muito porque vive mais na outra dimensão do que aqui. Você sabe que quando dormimos nosso espírito vai para o astral para se refazer.

Nesse período, alguns conseguem até ficar conscientes durante o sono, assumindo a vida adulta que tinham antes de nascer. Quando acordam, esquecem e retomam a nova experiência. Casos assim são raros, dependem do grau de lucidez do espírito e por certo do seu nível de evolução.

A maioria das pessoas não tem consciência da vida astral depois do reencarne, mas algumas trazem a sensibilidade aberta nos primeiros anos e permanecem ainda muito ligadas à dimensão de onde vieram; por esse motivo têm facilidade de perceber espíritos desencarnados.

Para elas isso é natural e ficam surpresas ao perceber que ninguém mais está vendo o que vêem. Daí a satisfação e a surpresa da menina ao ver a foto do seu amiguinho comprovando o que ela estava cansada de repetir.

Essa percepção, à medida que o espírito vai se adaptando à nova encarnação, vai se apagando e ao chegar aos nove ou dez anos desaparece completamente.

Nos casos em que a criança tem mediunidade, essa sensibilidade pode reaparecer depois dos doze ou treze anos, ou até um pouco mais tarde. Então, será bom estudar as leis naturais de influências e energias a fim de compreender como orientar-se dentro do processo.

A mediunidade precisa ser estudada por quem a possui. Quando você capta as energias das pessoas ao redor e das outras dimensões fica confuso e perturbado. Sente coisas inexplicáveis, tais como mal-estar, dores de cabeça, enjôo, irritabilidade, depressão e tantas outras manifestações, sem que haja uma causa que justifique e não percebe que essas sensações não são suas.

Assim, procura médicos que não encontram

nenhuma doença e acabam diagnosticando como um desequilíbrio nervoso e receitando calmantes. O curioso é que quando o problema é de captação energética os medicamentos não curam, ao contrário, podem aumentar o mal-estar.

Sem conhecer o processo, você pode ficar anos atormentado, estabelecendo um círculo vicioso que com o decorrer dos anos pode transformar-se em doença física.

Se sua sensibilidade se abriu e você está indo da euforia à depressão sem causa aparente, saiba que a única forma de libertar-se dessas influências é esclarecer-se, trabalhar seu emocional para elevar seu padrão de pensamento e modificar suas atitudes para melhor.

Procurar médiuns para "fechar o corpo", como alguns acreditam, é uma perigosa ilusão que poderá levar à obsessão.

O que você faz quando está ouvindo em seu rádio um programa que não é do seu agrado? Muda de sintonia. É isso aí. Faça o mesmo.

Quando se sentir mal, preste atenção que tipo de pensamento está tendo e verá que é negativo. É ele que está atraindo as energias ruins. Reconhecendo isso, procure criar pensamentos positivos. Se persistir com firmeza, mudará de sintonia e logo vai se sentir melhor.

Há muitas ilusões e crendices em torno da mediunidade. Não se deixe iludir. Procure você mesmo estudar, conhecer o assunto.

Não tenha medo de experimentar. Com bom senso e alegria, encontrará o caminho do equilíbrio.

Caso enviado por:
Angélica A. F. Antonalia
Rua Rev. João E. Pereira, 751
Osasco – São Paulo

A Dama da Madrugada

Há vinte anos, Ignez comprou um apartamento pequeno com quarto, sala, cozinha, banheiro e um terraço superior na cobertura do prédio. Essa área era grande, comparada ao tamanho do apartamento. A vizinha ao lado tinha um apartamento bem maior, também com área de cobertura.

Depois que foi morar lá, Ignez começou a ouvir todas as madrugadas, passos de mulher em sua área de cobertura. Ela caminhava com saltos altos e todos os vizinhos ouviam.

Aconteceu durante anos. Os vizinhos perguntavam se era ela, Ignez, quem andava lá de madrugada ao que ela respondia:

– Eu trabalho o dia inteiro, chego cansada, como ia agüentar ficar caminhando de madrugada?

Ela, por sua vez, com medo, tentava enganar-se pensando que poderia ser alguém de uma numerosa família que morava perto, cujos filhos estudavam à noite e voltavam tarde para casa.

Um dia a vizinha lhe contou que do lado do seu apartamento havia morado uma moça que faleceu aos trinta anos e que adorava andar na cobertura de Ignez.

Ela ficou mais cismada e medrosa. Ainda mais que a moradora do apartamento debaixo do seu lhe disse que todas as noites também ouvia os passos de uma mulher andando na cobertura.

Uma noite, Ignez, ouvindo os passos, ficou com muito medo. Ninguém via nenhuma pessoa andando ali. Concluiu que só poderia ser alma do outro mundo.

Encolheu-se na cama sem poder dormir, esperando ouvir os passos novamente até que por fim adormeceu e sonhou com Anselmo, seu pai falecido oito anos atrás.

No sonho, ele apareceu muito mais jovem do que era por ocasião do seu falecimento. Ela o viu nitidamente, como se estivesse acordada e ele estivesse encarnado.

Ele estava sério, mas sereno. Havia muita luz ao seu redor e ao lado de sua cabeça havia uma carta, que Ignez pôde ler com facilidade porque estava muito claro, com os seguintes dizeres:

"Não tenha medo. Fique calma. Está tudo bem, tudo está em ordem. Pode ficar tranqüila que tudo está resolvido".

Desde aquela noite, Ignez nunca mais ouviu os passos na sua área de cobertura. Ela tem certeza de que foi o espírito de seu pai quem veio ajudá-la, levando consigo a dama da madrugada.

***

Como é confortante saber que os laços do amor continuam mesmo após a morte! Que seres de outras dimensões nos protegem e ajudam nos momentos de dificuldade, como Anselmo fez com Ignez.

Ela conviveu durante anos com os passos da mulher em sua cobertura, intrigada, mas sem muito medo. Por que de repente ela começou a sentir receio?

Quando começou a sentir medo foi porque estava na hora de o espírito da mulher ser esclarecido. Essa ajuda dependia da reação dela e do seu estado de consciência. Antes, os espíritos amigos ou mesmo o pai de Ignez, sabendo que não estava no tempo de afastar dali o espírito, ajudaram a que Ignez não sentisse medo.

No momento certo, promoveram o encontro de Ignez com a moça do apartamento debaixo, que tocou no assunto. Depois, Anselmo conseguiu que Ignez, ainda fora do corpo durante o sono, pudesse vê-lo. Preparou a carta porque sabia que ela não conseguiria ouvir se lhe falasse.

Claro que eles poderiam ter levado embora a dama da madrugada sem que Ignez soubesse. Os passos nunca mais seriam ouvidos e pronto.

Mas ele queria que a filha despertasse para a vida espiritual.

Que tivesse certeza de que a morte do corpo não é o fim. Que ele continuava vivo e com o mesmo amor de sempre. Que a vida continua e que somos eternos.

Certamente depois desse fato, Ignez passou a confiar mais na vida e a enfrentar melhor e com mais coragem os desafios de cada dia.

Caso enviado por:
Ignez Vanni
Rua Paulo Orozimbo, 285, apto. 2-A
Cambuci – São Paulo

Socorro!

Em 8 de novembro de 1982, Fátima deu à luz um filho que teve uma icterícia forte e precisou de uma transfusão de sangue. Quando Fátima deixou o hospital, o menino ficou hospitalizado porque seu estado ainda inspirava cuidados.

Inconformada, ela chorava dia e noite e no auge do desespero, lembrou-se de fazer uma promessa a Cosme e Damião. Se Serginho ficasse curado faria uma oferenda com doces em homenagem a eles.

Passado alguns dias o menino teve alta e ela foi buscá-lo. Encontrou o filho com a cabeça raspada e muito magrinho. As pessoas achavam que ele não sobreviveria. Mas Fátima sentia que ele iria vencer e tratou de fazer tudo quanto os médicos lhe recomendaram. Seu restabelecimento foi rápido e ele tornou-se uma linda criança. Fátima esqueceu-se da promessa.

No seu primeiro aniversário, Serginho estava sentado no tapete da sala brincando, quando ela notou que ele estava com a cabeça baixa. Pensou que ele estivesse dormindo, mas quando levantou seu rosto viu que ele estava com os olhos virados.

Levou-o ao banheiro e deu-lhe banho com água quente e depois fria. Com o choque térmico o corpo dele amoleceu. Ela e o marido o levaram imediatamente ao hospital.

Estava com muita febre. Enrolaram o corpo do menino em um lençol molhado, mas ele secava e a febre não cedia. O médico diagnosticou uma pneumonia grave e disse que ele deveria ficar internado. Fátima, no entanto, não acreditou no diagnóstico, uma vez que ele não tivera nenhum sintoma de resfriado. Não quis deixá-lo no hospital. Assinou um termo de responsabilidade e levou-o para casa, prometendo voltar com ele no dia seguinte.

Chegando em casa, Fátima preparou um banho morno para o menino, deu-lhe um AS infantil, deixou-o com o marido e saiu.

Ela sentia-se culpada por não haver cumprido a promessa que fizera. Comprou duas velas, balas e doces e foi até um Parque de Diversões na av. São João, pois morava lá perto, procurou um canto sossegado onde havia flores, fez a oferenda, rezou e foi embora.

Ao chegar em casa Serginho estava tranqüilo, brincando, e a febre havia passado.

Entretanto, Fátima não se sentia calma. Ela pensava:

– E se tudo acontecesse novamente?

Então, foi ao seu quarto, ajoelhou-se e pediu ajuda a Jesus. Que os médicos do plano espiritual viessem em socorro de seu filho, curando-o de verdade.

Deitou-se. As crianças dormiam no beliche ao lado de sua cama. A menina, que era mais velha, dormia na parte de cima e Serginho, embaixo.

Alguns segundos depois, Fátima sentiu-se paralisada. Parecia que estava um pouco mais a frente do que seu corpo. Viu três rapazes de branco ao lado da cama do menino. Estavam com as mãos nos bolsos do guarda-pó que usavam e conversavam entre si. Ela ouviu que um deles disse:

– Agora ele está bem e fora de perigo.

O outro respondeu:

– De qualquer forma vamos examiná-lo.

Quando ele ia abaixar-se para o exame o outro tornou:

– Não, agora não, porque ele vai acordar e dar um grito.

Imediatamente Serginho acordou. Deu um grito assustado e Fátima na mesma hora teve a sensação de ter caído sobre o próprio corpo. Conseguiu se levantar e acalmar o menino.

Teve a certeza de que sua prece fora ouvida. Mais uma vez, Fátima ajoelhou-se, mas desta vez foi para agradecer. Depois, dormiu em paz.

No dia seguinte, conforme o prometido levou Serginho ao médico que o atendera na véspera. Quando entrou na sala dele com o menino sentado no carrinho, ele se surpreendeu:

– Este menino estava com pneumonia grave ontem. Não posso ter me enganado, ele tinha todos os sintomas... – e meio sem jeito perguntou: – O que a senhora fez?

Ao que Fátima respondeu:

– Doutor, só sei que tinha a certeza de que meu filho não tinha pneumonia e nem sei direito o que aconteceu.

Depois disso Serginho fez vários tipos de exames e todos estavam normais. Hoje Serginho está com mais de quinze anos e é muito saudável.

***

A fé remove montanhas. Fátima é pessoa de fé. Foi sua fé que possibilitou a cura de seu filho.

Não importa que caminhos ela procurou para chegar ao resultado positivo. Ela apelou para uma força maior, acreditou que seu filho ia ser curado e ele foi.

Cada pessoa tem sua crença, é simpatizante desta ou daquela religião, deste ou daquele santo, guru ou ritual. Por que será que para alguns funciona e para outros não?

Para muitos, uma promessa representa

um negócio com Deus. Se ela não for cumprida e acontecer alguma coisa ruim, a culpa é inevitável.

Fátima sentiu-se assim. Para ela, o não cumprimento da promessa significou uma traição à espiritualidade. Tratou de cumprir logo o prometido, acreditando que estava sendo punida pelos santos de sua devoção.

Isso acontece porque costumamos imaginar que os espíritos superiores agem da mesma forma que os homens. O que não é verdade.

Assim como ela nunca descobrirá se foram Cosme e Damião que a socorreram, outros também não vão saber se quem atendeu seu pedido de socorro foi o ser a quem endereçou sua rogativa. Afinal, o que nos importa mesmo é conseguir ajuda.

Fátima viu espíritos que ela imaginou serem médicos do astral, revelando que há muitos seres de outras dimensões dedicados ao auxílio das pessoas da Terra. O fato de um deles dizer que Serginho acordaria com um grito, e ele ter gritado, fez Fátima ter certeza de que sua visão fora verdadeira.

No processo de atendimento às nossas preces duas coisas ficam claras:

1 – A fonte da vida é uma só para todos e age de maneira própria, independentemente do caminho que escolhemos para pedir.

2 – Para obter o que pedimos precisamos chegar a um ponto de certeza, criar a

energia que vai acionar o processo e depois ficar firme.

Quando você pede, pede, pede, sem parar, está revelando falta de confiança e confirmando sua insegurança. Aquele que crê, pede e espera, certo de que vai conseguir.

Fátima tinha essa certeza. Será que os três rapazes que ela viu foram o canal da força maior que curou Serginho? Será que foram eles que a inspiraram a não internar o menino e levá-lo para casa?

Seja como for, Fátima conseguiu o socorro que pediu e isso é sem dúvida o mais importante.

Fundamental também é saber que a ajuda divina sempre atende ao que precisamos, depende apenas de aprendermos a fazer nossa parte no processo.

Caso enviado por:
Fátima Aparecida da Costa Bachega
Rua Barão de Campinas, 280
Campos Elíseos – São Paulo

O Compromisso

Em 1975 Elisabete estava com quinze anos, morava com os pais, suas três irmãs e uma sobrinha que sua mãe criava, na divisa entre a cidade de Poá e Itaquaquecetuba, em São Paulo.

Sua mãe resolveu pintar a casa para o Natal e contratou seu vizinho, Manoel do Nascimento, amigo da família para realizar o trabalho. Faltava apenas um quartinho dos fundos para terminar o serviço.

Na sexta-feira, a mãe de Elisabete pediu a Manoel que no sábado fosse bem cedo para terminar tudo, assim elas poderiam fazer uma faxina. Ele prometeu dizendo:

– Virei cedo, só que antes tenho de ir até a entrada de Poá para comprar dois frangos. Vamos fazer um batizado no domingo e a Maria quer deixá-los temperados para o almoço.

Elisabete era uma menina alegre e dentre todas da casa era a que mais conversava com Manoel, contando piadas e fazendo brincadeiras. Por esse motivo, antes de ir embora, ele divertiu-se dizendo que viria muito cedo no sábado, só para que ela fosse obrigada a se levantar, já que a mãe havia combinado de todas ajudarem na faxina.

Sábado às 6h30 mais ou menos, Elisabete acordou com Manoel batendo na janela do seu quarto. Sua cama ficava embaixo da janela.

– Bete, Bete, acorde, chame sua mãe.

– Quem é? Quem é?

– Sou eu, Bete, o Mané. Acorde e avise sua mãe para abrir a janelinha da porta da sala que estou indo para lá.

– “Tá” bom! – respondeu ela, que estava com tanto sono que se virou para o outro lado e continuou a dormir.

Ele bateu novamente:

– Bete, Bete, chame d. Dora e fale para ela que eu estou lá na frente.

– “Tá” bom, Mané. Já estou indo.

– “Tá”. Depois você volta e dorme “tá”?

Elizeth, a irmã que dormia com ela no quarto, acordou e perguntou:

– O que foi? Com quem você está falando?

– Com o Mané. Você não ouviu? Está batendo na janela pedindo para eu acordar a mãe para abrir a porta para ele.

– Eu não ouvi nada, mas acorde a mãe. Se ele não terminar de pintar não vamos poder aproveitar o sábado para a faxina.

Elisabete odiava acordar cedo, mas se levantou com má vontade e foi chamar a mãe.

O pai também acordou, olhou no relógio e comentou:

– O Mané resolveu vir bem cedo mesmo!

Dora se dirigiu para a porta da sala e ouviu que alguém batia e foi dizendo:

– Já vou, Mané. Estou indo abrir a porta. E você, Elisabete, não vá dormir de novo, acorde suas irmãs para a faxina.

Desanimada, Elisabete sentou-se no sofá da sala tentando vencer o sono. Para surpresa de Dora quem estava batendo na porta era a irmã de Manoel.

– O que foi, Nega, levantou cedo também? Fala para o Manoel ir para os fundos que eu abro lá.

– Dona Dora, o Mané não vem mais! – caiu em prantos. Depois continuou: – Ele foi buscar os frangos para Maria em Poá e foi atropelado por uma ambulância que cruzou a passagem em alta velocidade. Morreu na hora!

– Você não está enganada? Ele estava aqui agora, pediu para abrir a porta. Será que foi ele mesmo que morreu?

– Foi ele. Eu vi.

Não houve mais dúvida. O Manoel havia morrido mesmo. Elisabete ficou tão apavorada que não queria mais dormir naquele quarto. Suas irmãs se recusavam a dormir no mesmo quarto que ela alegando que ela falava com defuntos.

Naquele tempo, Dora gostava de ouvir no rádio um programa chamado "Histórias que o povo conta" que tinha casos horripilantes e elas tinham muito medo.

Elisabete foi dormir no quarto ao lado dos pais e durante muito tempo dormiu com a luz acesa.

As irmãs de Manoel residem na rua Amazonas, 730, Aracaré, Itaquaquecetuba. As famílias continuam amigas e de vez em quando recordam o ocorrido comentando que Manoel era um homem de palavra, pois tentou cumprir o compromisso até depois de morto!

***

Ao longo de minha vida tenho ouvido o relato de muitos casos semelhantes aos de Manoel. Pessoas que na hora da morte aparecem a um parente ou amigo distante para se despedir, para avisar que estão partindo ou até para continuar projetos que tinham.

É difícil entender como isso acontece no mesmo momento em que o espírito está entre as duas dimensões se desligando dos laços da carne. Após a morte, o espírito ainda continua certo tempo ligado ao corpo físico por um cordão energético, por meio do qual se processa o desligamento completo do corpo astral de todos os elementos que estavam ligados àquele corpo desde sua formação. Só quando esse processo termina é que aquela alma se liberta.

Muitos anos atrás, fui a um velório de um

amigo do meu marido, falecido aos quarenta anos, que deixou uma viúva inconsolável e três filhos pequenos. Estávamos na casa da família, como era costume na época.

Sentados na sala onde o corpo estava sendo velado, de repente, eu, olhando para o caixão, vi que sobre o cadáver, a uma distância de meio metro mais ou menos, havia um outro corpo adormecido igualzinho. Estavam ligados por um cordão que saía da testa do cadáver e ia até a nuca do seu duplo.

Fiquei admirada, olhando aquilo pela primeira vez nitidamente. Então ocorreu um curioso fenômeno: cada pessoa que chegava chorando e ia abraçar a viúva, ela, inconformada, gritava seu desespero. Nessa hora, para meu espanto, eu via o corpo que estava sobre o cadáver estremecer violentamente, sendo sacudido e perdendo a nitidez.

Naquele tempo eu estava começando minha experiência mediúnica e fiquei assustada. Senti vontade de pedir que a viúva parasse de se desesperar porque aquilo estava afetando o espírito do morto. Mas como não tinha intimidade com a família, não disse nada. Só rezei para que ela se acalmasse.

Mais tarde, relatando essa experiência a cientistas especializados no assunto, descobri que a alma não se desliga completamente na hora da morte do corpo físico. Morrer é o rompimento dos laços vitais que ligam a alma ao corpo. Quando isso ocorre, é irreversível. Mas dependendo do apego que a pessoa tem ao mundo físico e da sua ignorância com relação à vida após a morte, o desligamento completo do corpo astral pode levar mais ou menos tempo.

Nas primeiras horas, se você puder ver o que acontece no astral, perceberá o duplo daquele corpo saindo dele, na maioria das vezes pela cabeça; depois, se ele não estiver consciente, permanecerá sobre o cadáver até que consiga se desligar completamente.

Há casos em que o desligamento é tão rápido que o espírito sequer percebe que está morto. É que quando se passa a viver em outra dimensão, tudo lá é tão tangível como se estivesse aqui.

Esse fato pode ocorrer com quem morre vítima de acidente. Com a intenção de tentar evitar o choque, o espírito projeta-se para longe do local e passa a acreditar que conseguiu, procurando continuar suas atividades normais.

Foi o que deve ter ocorrido com Manoel. Ele tentou seguir sua rotina, pensando que havia conseguido evitar o acidente. É provável que depois, diante da reação dos familiares e dos amigos, ele tenha percebido a realidade. Se aceitou o fato consumado terá se libertado com facilidade, caso contrário, pode ter ficado algum tempo ainda com a família. Depende de como ele reagiu ao voltar à lucidez.

Quando alguém morre preocupado com alguma pessoa, pode, na hora do desligamento, projetar-se até ela, mesmo estando inconsciente, porquanto o pensamento é a força motriz do espírito. No astral, você pensa e cria, deseja ir e vai.

Seja como for, ainda temos muito a aprender sobre a passagem entre os dois mundos. Observar os fatos sem preconceitos favorece a aprendizagem. Ter a certeza de que a vida continua após a morte, que somos eternos, modifica nossa maneira de ver a vida, acaba com a tragédia do "nunca mais".

Só isso basta para continuarmos nossos estudos dos fatos.

Caso enviado por:
Elisabete Godoy Lefone
Rua Rio Grande do Sul, 693
Itaquaquecetuba – São Paulo

Uma Mulher de Coragem!

Aconteceu na década de vinte. Francisca Bezerra Ramos tinha marido e quatro filhos, sendo Maria (a mãe de Selma que relatou este caso) a mais velha. Na ocasião ela contava com onze anos de idade.

O casal decidiu se mudar para Minas Gerais. O marido alugou uma casa de esquina. Os móveis seguiram de trem, como se fazia antigamente. Francisca e os filhos foram na frente, enquanto o marido terminava alguns assuntos.

Francisca gostou da casa, tinha bom quintal com árvores frutíferas. Era execelente para as crianças. O que ela mais gostou foi o cômodo da frente que tinha portas de venda, com prateleiras. Ela era ótima cozinheira, adorava fazer doces e começou a fazer planos para comercializar seus quitutes.

Naquela época ainda não havia luz elétrica ali. Nos primeiros dias tudo correu bem. Mas em uma determinada manhã elas acordaram e perceberam que a janela do quarto que dava para a rua estava aberta. As pessoas que passavam na calçada as estavam vendo dormir.

Francisca ficou zangada tentando descobrir qual dos filhos fora o autor da brincadeira. Todos negaram. Esses fatos começaram a se repetir. Antes de dormir fechavam tudo e uma das janelas amanhecia aberta.

Uma noite, todos acordaram com um barulho terrível. Parecia que vidros se quebravam, coisas caíam no chão. As crianças ficaram assustadas e agarraram-se à mãe chorando.

Francisca era muito jovem, porém, muito corajosa, e não se intimidou. O barulho vinha do cômodo da frente. Ela então, levantou-se, apanhou o castiçal e tentou acender a vela, porém ela se apagava como se alguém a estivesse soprando. Ela continuou tentando até que conseguiu.

– Calma. Tudo está bem. Não precisam ter medo. Vamos ver o que aconteceu.

Todas se calaram. Segurando o castiçal e com as quatro crianças agarradas a sua saia, Francisca dirigiu-se ao cômodo da frente de onde partira o ruído. Lá chegando, para sua surpresa, estava tudo em ordem. Não havia nada fora do lugar.

Ela levantou a voz e disse:

– Se houver alguém aqui e estiver precisando de orações, eu peço a Deus que o ilumine e encaminhe para um bom lugar. Que Deus o abençoe.

Fez uma oração em voz alta e com fé. Depois disse:

– Podemos voltar a dormir que tudo vai ficar bem.

Depois disso nada mais aconteceu. Tempos mais tarde, uma vizinha lhe perguntou:

– Está gostando da casa?

– Sim. A casa é ótima.

– Só você acha isso. Ela ficou fechada durante anos. Ninguém conseguia morar nela. Diziam ser mal-assombrada.

– De fato, no começo algumas coisas aconteceram, mas com a ajuda de Deus tudo acabou.

– Nesta casa tinha uma venda e o dono do armazém tinha um caso com uma mulher casada. O marido descobriu e numa madrugada foi bater na porta, imitando voz feminina: "Por favor, abra. Meu marido está passando mal, preciso de ajuda!". Quando o dono atendeu e abriu a porta, o marido traído sacou o revólver e o matou com um tiro. Ao cair sobre as prateleiras ele derrubou tudo que nela havia.

Foi assim que Francisca encontrou explicação para tudo quanto lhes havia acontecido.

***

O que teria acontecido para que o espírito daquele homem houvesse permanecido preso ali durante tanto tempo?

É muito provável que ele tenha ficado revoltado com o que lhe aconteceu e tenha se recusado a deixar a casa.

Quando alguém morre, seja em que circunstância for, tem assistência dos espíritos superiores que procuram ajudá-lo e conduzir a um lugar adequado a seu refazimento. Mas se a pessoa se rebela, não aceita a realidade, se recusa a ir, eles a deixam livre para aprender por meio da própria experiência.

Aceitar um fato desagradável e seguir adiante requer esforço e discernimento. Muitas vezes dizemos que aceitamos alguma coisa ruim que passou, mas, no fundo, carregamos no coração as lembranças do passado, guardando a ilusão de que um dia poderemos voltar a ele.

Ficamos remoendo o que passou, imaginando soluções que poderíamos ter tentado, nos culpando ou esperando ter a chance de voltar a ter a mesma oportunidade.

Quando um ciclo acaba é perda de tempo tentar reabri-lo. A morte fecha um ciclo e não adianta tentar mudar os fatos. Ela é irreversível. Esse homem morreu tentando socorrer uma pessoa, foi surpreendido, enganado. Revoltado por ter morrido de maneira tão inesperada, não aceitou.

Quem poderá saber quais pensamentos passaram pela sua mente? Quantas vezes terá dito a si mesmo:

– Se eu tivesse feito isso... ou se eu não houvesse feito aquilo...

Quantos momentos de arrependimento e de revolta terá vivenciado esses anos todos? É possível que ele estivesse cansado de sofrer e disposto a fazer alguma coisa por si.

Francisca foi o instrumento que a vida usou e ambos se libertaram. Ele pôde ser conduzido a um lugar de refazimento espiritual, e ela pôde continuar vivendo na casa que gostava sem os problemas que aquela presença perturbada causava.

Deu certo porque ela não se acovardou diante do invisível. Enfrentou a situação. Por conta de seu medo, conseguiu vencer.

Enfrentar os desafios que a vida traz com coragem, ficar no bem, em qualquer circunstância, garante a vitória.

Caso enviado por:
Selma Ramos Luz
Rua Alexander Borodin, 141
Santo Amaro – São Paulo

Um Atendimento Inesperado

Marlene Batista de Paula relata que no ano de 1935 sua irmã tinha um ano e dois meses e estava preocupando muito os pais porque não andava nem ficava em pé.

Os médicos não conseguiam descobrir a causa desse atraso, pois como se sabe é normal aos seis meses o bebê começar a firmar-se e começar a andar por volta de doze meses.

Um amigo do casal sugeriu que eles levassem a menina ao Centro Espírita para uma consulta com Maria Francesa, médium de cura muito procurada que havia ajudado muita gente. Ela atendia a todos e não tinha hora para terminar. Quando se sentia exausta parava para recomeçar no dia seguinte.

O casal foi até lá, levou a criança e aguardou. Havia tanta gente que apesar de ficarem até tarde, não deu para serem atendidos.

A mãe da criança voltou para casa muito triste. Deitou-se e não conseguiu dormir.

Era madrugada, o marido dormia, porém

ela estava acordada quando viu na porta do quarto um homem todo vestido de branco que se aproximou do berço da menina, estendeu as mãos sobre ela e ficou assim por alguns minutos.

A mãe ficou paralisada olhando assustada, sem saber o que fazer. O espírito a olhou, sorriu e saiu sem dizer nada.

No dia seguinte, a criança andou e então ela contou ao marido o que havia acontecido. Todos ficaram alegres e concluíram que a ajuda tinha vindo do Centro Espírita.

Foram até lá para agradecer e descobriram que o homem que a mãe da menina havia visto, era o guia espiritual do Centro Espírita.

***

As preces, quando sinceras e de coração, nunca ficam sem resposta. Jesus disse: "Pedi e obtereis!". Às vezes parece a quem pede que suas orações não foram atendidas, mas isso não é verdade.

Ocorre que nem sempre o atendimento acontece da forma que desejamos. A vida trabalha sempre pelo melhor e em favor de todos. Tem critérios próprios e leis perfeitas.

Nós, quando pedimos, raramente temos lucidez para conhecer o que naquele momento seria melhor. Quase sempre envoltos em nossas fantasias imediatistas, prendemo-nos em desejos que, se atendidos, mais tarde resultariam em dor e sofrimento.

Sem falar dos que movidos pela vaidade utilizam-se da oração para conseguir vantagens pessoais sem preocupar-se com os prejuízos que isso acarretaria aos outros.

Há ainda os que, angustiados, recorrem às igrejas de sua fé, aos Centros Espíritas, acreditando que eles, em um passe de mágica possam tirar do seu caminho todas as pedras, sem perceber que os desafios são oportunidades de crescimento e não podem ser retirados.

Se em vez de se julgarem vítimas percebessem o que a vida pretende ensinar-lhes, reagissem consultando o próprio coração, descobrissem seus pontos fracos e utilizassem sua própria força para vencê-los, então não só mudariam os fatos de sua vida para melhor como ficariam mais lúcidos e fortalecidos.

A vida quer que você desenvolva a própria força e aprenda a utilizá-la a seu favor. O fraco sempre atrai mais problemas a cada dia. Se em vez de culpar os outros, ficar passivo, reagir, começar a cuidar verdadeiramente de si sem esperar nada dos outros, sentir-se-á mais capaz, mais confiante e vencerá qualquer dificuldade.

Nossas orações sempre são ouvidas. O auxílio sempre vem. No caso da menina, os pais, por não haverem sido atendidos pela médium, acreditaram que sua ida lá havia sido inútil. Entretanto, ela recebeu a cura.

Certamente porque estava na hora e eles mereciam.

Se você tem recorrido às preces, ido à Igreja ou ao Centro Espírita e não tem obtido o resultado que gostaria, faça uma meditação. Preste atenção aos diálogos que costuma ter consigo mesmo, verifique se não é você quem está tendo atitudes negativas que atraem resultados ruins.

Tenho certeza de que se começar a reagir, jogando fora a depressão, a falta de fé, a falta de confiança em si, tornando-se mais otimista, procurando pensamentos positivos, sua vida vai se transformar para melhor.

Então, acabará por descobrir quanta ajuda tem recebido da misericórdia divina. Quantas bênçãos protegeram seus caminhos e continuarão abrindo as portas do progresso e da felicidade.

Tudo isso está e sempre esteve à sua disposição o tempo todo. Basta sacudir o comodismo, ficar no bem e procurar fazer o seu melhor.

Caso enviado por:
Marlene Batista de Paula
Rua Pero Correia, 451
Jardim da Glória – São Paulo

Um Santo Remédio

Marlene aos cinco anos de idade foi acometida de uma tosse que ninguém conseguia curar. Morava com os pais em uma habitação coletiva (antigamente chamada de cortiço) e a tosse da menina, que se acentuava durante a noite, incomodava os outros moradores, não os deixando dormir.

Os pais recorreram a tudo que sabiam sem obter resultado. Consultaram vários médicos, que constataram que ela era saudável, receitaram remédios, mas a tosse persistia.

Fazia cinco anos que Marlene sofria desse mal quando sua mãe, pessoa de muita fé, teve uma idéia. Aconteceu no ano de 1946.

Naquela época estava sendo muito comentado na imprensa os milagres ocorridos no cemitério da Consolação, imputados ao espírito de Antoninho da Rocha Marmo, um menino que por ocasião de ter seu caixão desenterrado para recolher os ossos, como era feito de praxe, foi encontrado inteiro, sem que seu corpo houvesse sido destruído.

Por conta disso, as pessoas começaram a freqüentar seu túmulo para solicitar ajuda, o que imediatamente deu-lhe fama de santo.

Um domingo de 1946, a mãe de Marlene levou-a ao cemitério da Consolação para visitar o túmulo de Antoninho Marmo e pedir ajuda.

Chegando lá, próximo ao túmulo do menino estava ocorrendo o sepultamento de um político famoso e as duas tiveram de esperar terminar o cerimonial para poderem fazer o pedido.

Como sempre acontecia com Marlene, sua irrequieta tosse perturbou todos os discursos que estavam sendo proferidos em homenagem ao morto.

Em meio a essa situação, aproximou-se da mãe de Marlene uma senhora de estatura mediana, muito magra, toda de preto trazendo um lenço na cabeça, que disse:

– Senhora, gostaria de ajudá-la. Lá em casa tenho uma erva que pode aliviar a tosse da menina. Vamos até minha casa que é aqui perto. A senhora faz o chá e ela se sentirá melhor.

A mãe da menina concordou e as duas a acompanharam. Marlene se recorda que a casa ficava do lado oposto do cemitério. Era muito antiga, tinha um portão de ferro trabalhado, um pequeno jardim e uma escada de mármore muito branco que conduzia à entrada da casa.

A senhora recolheu as folhas de uma pequena árvore, deu-as à mãe de Marlene e elas foram embora.

Em casa, a mãe preparou o chá e a menina tomou-o várias vezes naquele dia e, para espanto delas, passou toda a noite bem. No dia seguinte, a tosse não mais apareceu.

A vizinhança, surpresa com a cura, quis saber que erva milagrosa era aquela. Assim, a mãe de Marlene, acompanhada por algumas amigas da vizinhança, resolveu ir à casa daquela senhora saber o nome da erva.

Elas foram até o cemitério da Consolação, caminharam todo o trecho percorrido procurando a casa, mas não a encontraram. Indagaram pela rua toda se alguém conhecia aquela senhora e ninguém a conhecia.

Inconformadas, voltaram lá inúmeras vezes, mas nunca mais a encontraram.

***

Entretanto, a experiência permaneceu. A manifestação divina deixou sua marca no espírito de Marlene, que nos relatou este caso. Ela sabe que aquela senhora que a ajudou a curar-se não estava mais neste mundo.

Era alguém que se materializou para ajudá-la a libertar-se de tão incômodo problema e certamente o fez com a permissão do plano espiritual superior. O que nos faz crer que estava na hora de ela ser curada.

Os problemas físicos são recados da alma avisando que você não está fazendo tudo o que já sabe fazer de bom. Pretendem facilitar

a mudança interior. Quando você já aprendeu o que precisava com eles, a cura aparece.

Mas no caso de Marlene era preciso que ela conhecesse a ajuda das forças superiores da vida.

É possível que aquela casa tenha existido naquele local muitos anos atrás e fosse apenas uma volta ao tempo passado (já que tudo fica gravado nos arquivos akásicos, na memória do planeta), mas também pode ser que ela exista em outra dimensão e as duas tenham sido conduzidas até lá sob a influência daquela misteriosa senhora.

O fato é que ninguém conhecia aquela erva. O Brasil tem milhares de plantas ainda pouco conhecidas, o que nos faz pensar que essa pode ter sido trazida daqui mesmo, mas isso não invalida a hipótese de ela existir só na outra dimensão e haver sido materializada aqui.

Contudo, o mais importante é saber que há espíritos bondosos se interessando em nos ajudar, e principalmente que a vida é muito mais do que os acanhados limites do mundo material.

Caso enviado por:
Marlene Lanflanque
Rua Padre Anchieta, 432, apto. 210
São Vicente – São Paulo

Proteção Espiritual

Analice estava em uma lanchonete almoçando calmamente quando uma moça sentou-se na mesa à sua frente e pediu um lanche. A moça estava comendo quando entrou um rapaz carregando vários pacotes em companhia de alguns amigos, deu um esbarrão nela e tirou alguma coisa de sua bolsa.

Depois foi até o balcão pediu um refrigerante e ficou ali enquanto seus amigos se dirigiram ao toalete nos fundos da lanchonete. Em silêncio, Analice acompanhava tudo.

Quando a moça terminou de comer foi pegar o dinheiro na bolsa para pagar a conta. Ficou nervosa, olhou para Analice aflita, como a perguntar se ela havia notado alguma coisa.

Analice confirmou com a cabeça e ela, que já suspeitava do rapaz que esbarrara nela, levantou-se e disse a ele:

– Devolva o dinheiro que você tirou da minha bolsa.

Ele olhou-a com raiva e num gesto agressivo tirou várias notas do bolso e colocou-as sobre o balcão gritando:

– Olhe aí. Esse dinheiro é meu. Não peguei nada.

A moça apanhou uma nota dobradinha e respondeu:

– Aqui está o meu dinheiro. Eu pedi um lanche porque não tinha dinheiro para um almoço e você ainda pegou o único que eu tinha.

– Isso não é verdade. A senhora tem prova de que eu peguei seu dinheiro?

– Aquela senhora viu.

– Você viu alguma coisa? – indagou ele desafiador.

– Vi. Você pegou o dinheiro dela – confirmou Analice.

Naquele momento duas viaturas da rota pararam na porta da lanchonete e uns dez policiais entraram e rodearam o rapaz; a moça lhes contava o que havia acontecido.

Enquanto eles discutiam o assunto, Analice, sentada em sua mesa, os observava quando viu ao seu lado uma senhora de aparência simples, aparentando cerca de sessenta anos, olhar meigo, mas penetrante, que lhe disse:

– Se você não quiser se envolver em mais complicações pague sua conta e vá embora.

Analice que até então estava calma e sem medo deu-se conta de que estava correndo perigo. O rapaz estava em grupo e se ela testemunhasse contra ele esses elementos poderiam persegui-la para vingar-se.

Enquanto eles discutiam do outro lado, Analice pagou sua conta e foi embora rapidamente.

Na pressa, nem se lembrou de agradecer a essa senhora. Quando estava no ônibus de volta para casa, Analice lembrou-se de que ao seu lado na lanchonete não havia mais ninguém. Aquela senhora aparecera de repente para alertá-la do perigo que corria e orientá-la para que se protegesse.

Analice então elevou seu pensamento em prece, agradecendo a ajuda espiritual recebida, guardando da presença dessa desconhecida que aparecera na hora certa com forte impressão de carinho e amizade.

***

De tanto observar a crueldade, a malícia, a violência, até as pessoas boas e honestas sentem-se temerosas de enfrentar os bandidos para defender suas vítimas.

Ninguém tem coragem de intervir, delatar, testemunhar em favor da justiça e os poucos que o fazem têm sofrido represálias, às vezes pagando com a própria vida.

Essa é uma verdade dolorosa do nosso mundo, onde a lei do mais forte (e nesses tempos os marginais têm mais força) impera, conseguindo emudecer os que apesar de indignados não se sentem com coragem de enfrentá-los.

Por esse motivo, Analice, testemunhando

em favor da moça, estava correndo um risco que no momento ela não se dera conta, penalizada com a situação da vítima. Era muito provável que se o rapaz fosse detido e ela testemunhasse o que vira, seus amigos resolvessem fazer uma desforra e nesse caso, não se pode prever como fariam isso.

Mas Analice era pessoa protegida espiritualmente. Por isso apareceu aquela senhora a alertando. Tanto poderia ser a materialização de algum espírito desencarnado como uma pessoa mais experiente que resolveu intervir.

Embora muitos não saibam, é comum espíritos desencarnados materializarem-se no mundo, no desempenho das várias tarefas que precisam cumprir. Assumem a aparência comum, porém, um observador mais atento e conhecedor dos fenômenos que ocorrem no mundo, notará algumas diferenças.

A cor da pele, mais pálida, uma leveza maior no caminhar e, principalmente, os olhos que terão uma penetração maior, de luz, alegria e amor quando se tratar de um espírito evoluído e de tristeza, dor ou mágoa quando for mais primitivo.

A materialização de espíritos no mundo não ocorre só com os espíritos iluminados. Trata-se de um fenômeno onde o conhecimento de certas leis da física atuam e podem ser provocados por espíritos que tenham esse conhecimento e sejam ainda distanciados do bem maior.

Entretanto, não cai uma folha da árvore

sem que Deus permita. Assim, eles também só vão até onde lhes é permitido. Essa certeza nos conforta e nos dá paz.

Em um mundo onde os valores verdadeiros estão invertidos e a violência comanda, compreendemos que a única proteção real é a espiritual. E ela está presente garantindo o bem para aqueles que se conservam fiéis respeitando os valores eternos do espírito, pautando suas atitudes na honestidade e responsabilidade, enfrentando com alegria e disposição todos os seus desafios e acreditando no bem e na vida.

Caso enviado por:
Analice Fiore Samatis
Rua José de Ibarra, 229
Mandaqui – São Paulo

A Revelação

Quando Etiene era adolescente estudava em um internato de freiras. Certa tarde, pediu às irmãs permissão para fazer um trabalho escolar na casa de uma colega. Uma vez lá, com mais duas amigas, resolveram fazer a “brincadeira do copo”. Era a primeira vez que ela participava dessa prática, que é comum entre os adolescentes mesmo nos dias atuais, quando evocam os espíritos desencarnados por curiosidade, por brincadeira, ignorando os riscos a que se expõem por lidar com um assunto tão sério de forma leviana.

Nesse dia, entretanto, um espírito se comunicou pedindo que elas fossem visitar o pai de uma das professoras do colégio. Ele estava doente e elas deveriam avisá-lo que iria desencarnar e precisava arrepender-se e confessar algo para a família.

Dias depois, as três adolescentes foram visitar o doente que parecia melhor e em franca recuperação. Uma olhava para outra sem coragem de transmitir-lhe o recado, até que uma delas finalmente criou coragem e contou.

Ele ficou entristecido, baixou a cabeça e respondeu:

– Está certo.

Elas não sabem se ele cumpriu, contudo, uma semana depois estava enterrado.

Etiene tinha uma amiga, Maristela, que perdeu a mãe e não conheceu o pai. Tinha algumas pistas de onde encontrá-lo, até que acreditou tê-lo encontrado.

Era o ano de 1996 e ela, Maristela, seu marido Oswaldo, Sonia e Janeide reuniram-se para uma sessão de copo. De todos eles, apenas Etiene já havia participado desse tipo de experiência.

Para surpresa deles, um espírito que disse chamar-se Maria do Carmo, a mãe de Maristela, comunicou-se dizendo que queria incorporar em um dos presentes para abraçar a filha.

Todos ficaram muito assustados, entretanto, Etiene balançou a cabeça concordando com o que a entidade pedira, assim ela começou a rezar um Pai-Nosso em voz alta.

Nesse instante, viu chegar pelo corredor uma mulher que se aproximou de Sonia. Ela não havia conhecido a mãe de Maristela nem visto sequer um retrato, mas na hora soube que era ela, descreveu-a e a amiga chorando confirmou.

Nesse momento, ela incorporou em Sonia,

abraçou a filha, e ambas choraram muito. Ela disse:

– Voltei para revelar o segredo que tem me atormentado todos esses anos. Preciso encontrar a paz. Você está enganada. Esse que você encontrou não é seu pai. Nem ele sabe disso. Sempre acreditou que era dele que eu estava grávida. Preciso fazer essa revelação. Entretanto, agora não tenho coragem. Vou embora, mas voltarei em sonho para contar tudo. Pode esperar.

Algum tempo depois, Maristela sonhou que a mãe entrou pela porta do quarto, acompanhada por outra pessoa e lhe disse:

– Filha, demorei, mas vim cumprir minha promessa. Seu pai é...

Parou emocionada e foi seu acompanhante quem completou:

– Seu verdadeiro pai é o pai de criação de sua mãe, seu avô.

Maria do Carmo ganhou força e pediu:

– Não faça nada contra ele. Perdoe e esqueça. Não vai conseguir provar a paternidade, pois ele nunca faria um exame. Quero que saiba a verdade. Agora posso seguir em paz.

Etiene teve inúmeras experiências com os espíritos, mas ainda não conseguiu vencer o medo. Por mais que tente fugir dessa realidade, a vida sempre coloca alguma manifestação dos espíritos em seu caminho como a lhe dizer que está na hora de ela aceitar e usufruir as bênçãos infinitas e maravilhosas da espiritualidade.

***

O processo de comunicação de espíritos por meio do copo é antigo e já foi muito usado no mundo inteiro. Embora seja lento, uma vez que ele vai nas letras uma a uma e é preciso que alguém vá anotando, oferece a vantagem de haver menos interferência anímica dos presentes nas comunicações, permitindo maior coeficiente de veracidade.

É claro que isso não impede que espíritos menos escrupulosos se sirvam desse processo para enganar, alguns por diversão, outros por maldade.

No trato com a mediunidade, com a comunicação dos espíritos desencarnados, há que prevalecer o bom senso. Brincar com alguma coisa que não se conhece é perigoso. Atrair espíritos levianos ou maldosos, doentes e infelizes, sempre causa problemas.

Por tudo isso, se você pretende experimentar esse meio de comunicação com os espíritos, procure antes estudar o assunto, informar-se de como proceder, utilizando o bom senso na análise das comunicações. Desde já afirmo que o mais importante sempre será ter um objetivo sério, respeitoso, não se esquecendo das orações preliminares pedindo orientação e assistência aos espíritos superiores.

Era o que fazia nosso grande escritor Monteiro Lobato que, após a morte dos filhos, dedicou-se às pesquisas mediúnicas. Durante muitos anos evocou os espíritos por meio da tiptologia (fenômeno do copo). As sessões, conforme relata o jornalista Jorge Rizzini, eram realizadas na casa do escritor Carlos Heitor Castelo Branco e na do médico Alberto Seabra. Serviam como médiuns sua esposa d. Purezinha Lobato e sua filha Marta, casada com o pintor J.U. Campos. Ele costumava colocar uma venda negra nos olhos das médiuns. Elas colocavam os dedos sobre o copo a fim de evitar as interferências anímicas. O próprio Lobato fazia as perguntas e anotava as respostas em um caderno de capa roxa.

Conseguiu assim provas que lhe pareceram concludentes de que a vida não termina no túmulo. Além da comunicação dos seus filhos e parentes falecidos, ele conversou com vários outros espíritos, entre eles o jornalista Maneco Lopes (o vovô do jornalismo paulista), amigo de Lobato, e que em vida era incapaz de dizer uma frase sem incluir um palavrão.

Nas mensagens que Maneco enviou aparecem palavras de baixo calão, que escandalizaram d. Purezinha e a filha, mas que muito alegrou Lobato que logo identificou o velho amigo.

Maria José Sete Ribas, amiga de Lobato desde criança, que quando moça tornou-se revisora oficial de suas obras ficou encarregada por ele de datilografar as atas das sessões. Ela era espírita e ele depois de cada sessão lhe entregava o caderno de capa roxa com as atas para que ela as datilografasse.

Maria teve o cuidado de guardar cópias

dessas atas e embora algumas tenham se extraviado, ela juntou as que restaram em um pequeno volume que publicou com o nome de *Monteiro Lobato e o Espiritismo*. Os proventos do livro, a autora doou às Casas André Luiz, que abrigam deficientes físicos.

Esse livro foi prefaciado pelo escritor J. Herculano Pires e teve uma mensagem póstuma do espírito de Lobato, tendo servido como médium o jornalista Jorge Rizzini, que é autor de *Vida de Monteiro Lobato*, primeira biografia Lobatiana.

Caso enviado por:
Etiene Pereira da Silva
Rua Cabitutu, 138
Tremembé – São Paulo

Visita Providencial

Quando Antonia Aparecida Oliveira tinha um ano de idade adoeceu gravemente. Recusava alimentação, cerrando os dentes quando sua mãe tentava colocar um pouco de leite em sua boca. Não chorava e sofreu uma paralisação das funções fisiológicas. Em pouco tempo estava pele e osso; tão sensível e delicada que para transportá-la sua mãe precisava colocá-la sobre um travesseiro.

Os médicos não conseguiram diagnosticar a doença e a desenganaram. Sua casa vivia cheia de vizinhos e amigos a espera do desenlace. Sua mãe não dormia a espera do momento fatal, conservando ao lado uma vela para colocá-la na mão de Antonia no momento decisivo. Ela era muito católica.

Como a situação se prolongasse por vários dias, a mãe de Antonia sentia aumentar seu desespero, percebendo que se encontrava no limite de suas forças.

A madrinha da menina, assistindo ao seu sofrimento sugeriu:

– Precisamos fazer alguma coisa. Sei de uma senhora espírita, d. Benedita, que benze, vamos levar a Antonia lá.

Ela se recusou:

– Não acredito nessas coisas. Sou católica.

Naquela mesma noite, porém, no auge do desespero, a mãe de Antonia ajoelhou-se diante dos quadros do coração de Jesus, de Santo Antonio, e pediu ajuda orando muito e dizendo que não estava mais agüentando. Ao terminar, sentiu vontade de levar Antonia para Benedita benzer.

No dia seguinte, compareceu com a comadre ao galpão onde a médium atendia, levando Antonia deitada no travesseiro. Havia muita gente e elas sentaram-se no fundo e aguardaram.

Benedita atendia em uma tenda e quando ela saiu para chamar a próxima pessoa, disse:

– Vocês desculpem, mas tenho de passar na frente uma senhora com uma criança que está passando mal e precisa de ajuda urgente.

Feito isso, apontou para mãe de Antonia e a mandou entrar. As três entraram. A mãe e a comadre, chorando desesperadas, relataram o que estavam passando com a menina.

Benedita conversou com elas acalmando-as, depois benzeu a menina por meia hora, rezando. A mãe de Antonia perguntou:

– Ela vai ficar boa?

Ao que Benedita respondeu:

– Para Deus nada é impossível. Agora você vai para casa, coloca uma roupa branca nela, leve-a para o quarto e deixe-a dormir. Vamos esperar.

Apesar de não estar acreditando muito, a mãe de Antonia obedeceu. Deixou a menina no quarto e foi para cozinha.

Alguém bateu palmas e ela foi atender. Era um homem alto, louro, parecendo alemão, muito bem vestido. Usava um anel de ouro, uma corrente com um relógio também de ouro e trazia uma pasta na mão. Pediu para entrar e ela ficou acanhada porque estava sozinha com as crianças.

Mas não teve coragem de recusar. Sentiase hipnotizada. Ele foi entrando e dizendo:

– Fui mandado aqui porque você tem uma filha doente e está precisando muito de ajuda. Não tenha medo, só vim fazer o bem.

Ele sentou-se na sala e pediu que ela lhe trouxesse um copo com água, uma palma benta, azeite puro, um garfo e uma faca. Cada coisa que pedia ele apontava para o lugar onde elas estavam. Pegou a palma benta, colocou azeite na água do copo, rezou baixinho e com o garfo e a faca cortou em cruz sobre o copo. Fez isso durante meia hora. Depois se levantou e despediu-se dizendo:

– Agora você vai me dar cinco mil réis. Não é para mim, mas para os pobres do Centro Espírita.

Ela vacilou porque era todo dinheiro que

tinha em casa, mas deu. Assim que ele se foi ela voltou a sentir os pés no chão e ficou na porta da cozinha olhando o homem, que de repente sumiu.

Assustada ela chamou as crianças que brincavam no quintal e mandou-as procurar por ele, mas não foi possível encontrá-lo. O lugar era deserto e não tinha onde ele se esconder. Ela estava tão preocupada com o homem que se esqueceu de Antonia. De repente, a menina deu um grito forte, ela correu para o quarto pegando-a no colo desesperada.

– Meu Deus chegou a hora dela! – pensou.

Antonia chorava muito e as lágrimas corriam-lhe pelas faces, estava molhada e havia evacuado. Quando a mãe tirou sua fralda para trocá-la, notou que a menina tinha um buraco feio na virilha esquerda e viu sair dele uma bola de pus que estourou no ar como uma bola de sabão.

Julgando que Antonia estivesse desencarnando, gritou pelas crianças para chamarem a madrinha. Quando ela chegou minutos depois, foi olhar o buraco, ele havia desaparecido. Em seu lugar a pele estava apenas esfoladinha.

– Aqui não tem nada. Você exagerou – disse a comadre.

– Eu vi. Havia um buraco fundo e saiu uma bola de pus que estourou.

– Comadre, nós levamos a menina para benzer, lembra-se? Ela está curada!

E estava mesmo. Todas suas funções fisiológicas voltaram ao normal e ela passou a ter uma fome exagerada, recuperando rapidamente o peso.

Hoje, com sessenta anos de idade, Antonia nos relata esse fato que sua mãe sempre lhe contava.

***

É muito provável que a doença de Antonia estivesse sendo provocada por algum espírito que desejava que ela desencarnasse. Seja qual for o motivo pelo qual ele fazia isso, deve ter relação com uma vida passada. Pode ser vingança ou mesmo apego afetivo.

Há espíritos que não se conformam com a separação e quando um deles reencarna fazem tudo para tê-los de volta. São muito inteligentes, mas pouco evoluídos espiritualmente. Têm seus próprios critérios e querem manipular a vida, fazendo as coisas a seu modo. Essa é uma ilusão que um dia terão de perder.

Entretanto, a vida, em sua sabedoria, permite que as pessoas usem seu livre-arbítrio até certo ponto, com o objetivo de conscientizá-las dos verdadeiros valores do espírito.

A medicina era impotente para curar Antonia porque a causa de sua doença não estava no corpo físico. Havia um agente astral magnetizando-a e inibindo suas funções fisiológicas. Quando esse espírito foi afastado, ela reagiu e se curou. As energias negativas que o pequeno corpo da menina havia absorvido no processo, foram materializadas na

bola de pus que, uma vez retirada, deixou-a livre para reagir.

Quem seria o misterioso homem louro que as visitou e depois desapareceu? Seria um espírito materializado ou um médium que foi atender o caso? Por que ele pediu dinheiro?

É difícil dizer. Em todo o caso, como ele desapareceu em seguida, é muito provável que fosse mesmo um espírito materializado. Pediu dinheiro para mostrar à mãe de Antonia que ela estava recebendo ajuda e que em troca deveria também ajudar os outros.

A ascendência que o espírito obsessor teve sobre Antonia denota que ela de certa forma estava ligada a ele por assuntos não resolvidos de outras vidas. Além disso, essa experiência era necessária para despertar, tanto na mãe como na filha, a certeza da continuidade da vida após a morte, o que de fato aconteceu.

Há ainda todas as pessoas que presenciaram os fatos que naturalmente também se beneficiaram.

Por tudo isso, em qualquer circunstância de nossa vida é importante fazer a nossa parte no que nos for possível. O impossível devemos entregar nas mãos de Deus.

Caso enviado por:
Antonia Aparecida Oliveira
Rua Sancho Junqueira, 31-A
Ponte Rasa – São Paulo

O Anjo da Guarda

O filho de Elisabete estudava inglês à noite no CCAA no centro de Itaquaquecetuba. Como Elisabete mora em um bairro afastado e isolado, ela costumava ir buscá-lo no término da aula.

Uma noite agradável do ano de 1996, ela pegou emprestado o carro do pai e saiu de casa para buscar o filho. Ligou o rádio e, enquanto cantarolava as músicas, pensava em passar na padaria, comprar pão e leite para a manhã seguinte.

Perto da padaria mais próxima do caminho onde ela já estava, deu seta para a direita e ia parando quando ouviu uma voz masculina dizendo firme:

– Não pára, não pára, vá embora logo.

Ela sentiu que havia algo de ruim acontecendo e pensou logo:

– Foi alguma coisa com meu filho...

Saiu da rua apressadamente, acelerando o carro e pensando:

– Didi, meu filho, que tudo esteja bem...

Quando avistou a escola de inglês o menino já havia saído e estava encostado na porta, a esperando calmamente.

Ela suspirou aliviada e quando ele entrou no carro ela contou o que havia acontecido e ele retrucou:

– Pára com isso! A senhora com esse negócio de espiritismo está ficando maluca.

Elisabete não ligou para o que o filho lhe disse e respondeu:

– Vamos parar na padaria para comprar pão e leite.

Quando pararam o carro um rapaz chorava no orelhão diante da padaria. Quando eles entraram se assustaram porque o empregado estava com um revólver e uma espingarda na mão. Elisabete se retraiu e hesitou. Foi quando o rapaz do caixa, vendo-a, falou:

– A senhora deu muita sorte, dona. A senhora ia parando na porta e arrancou com tudo e o rapaz que está aí fora que nem mora aqui, parou para tomar café antes de seguir para São Paulo e roubaram o carro dele. Os "caras" encostaram o revólver na cabeça dele assim que ele parou, mas era para eles pegarem a senhora. Mulher é mais fácil, mas a senhora saiu rápido e o moço acabou sendo a vítima.

Ao ouvir essas palavras Elisabete começou a tremer, mas quando entrou no carro disse ao filho:

– Foi um anjo bom que me avisou para não parar, eu ia ser assaltada. Tenho de admitir que recebi ajuda mesmo!

O filho dela e o pessoal da padaria certamente se recordarão do caso facilmente uma vez que foi muito comentado na região.

***

É fora de dúvida que Elisabete foi avisada por um amigo espiritual. Mas é importante ressaltar que ela obedeceu imediatamente. Sentiu as energias ruins e não parou para pensar. Reagiu.

Quantas vezes nossos amigos espirituais querem nos proteger sugerindo pensamentos, mas nós não damos ouvidos? Diante de um fato como o que aconteceu com Elisabete é sempre prudente obedecer primeiro para verificar depois.

Em certos momentos, um segundo pode ser decisivo para evitar um acontecimento desagradável.

Não estou me referindo aos pensamentos de pessoas que só pensam em desgraças e vivem esperando pelas tragédias. Essas estão tão hipnotizadas pelo próprio medo, pela insegurança e pela falta de fé na vida que se tornam imunes a qualquer contato que seu guia espiritual deseje fazer.

É até provável que precisem passar por experiências desagradáveis para que aprendam a diferença entre uma desgraça real e uma que nunca aconteceu e só existe em sua fantasia. Quem não valoriza o bem que possui, acaba por perdê-lo.

Elisabete, ao contrário, estava alegre, de bem com a vida, centrada em si mesma, o que facilitou ao seu amigo espiritual a intervenção bem-sucedida.

É gratificante saber que todos nós temos ao nosso lado espíritos amigos que se interessam pelo nosso bem-estar e que nos protegem em nossa passagem por este mundo. Quantos problemas eles afastaram do nosso caminho sem que tenhamos conhecimento? É bom pensar nisso e além da prece de gratidão ao nosso anjo da guarda, estarmos sempre atentos, ligados a ele para aproveitarmos melhor essa companhia.

Caso enviado por:
Elisabete Godoy Lefone
Rua Rio Grande do Sul, 693
Itaquaquecetuba – São Paulo

A Surpresa!

Maria Meira nos conta que sua sogra, Branca, mulher sofrida, ficou sozinha muito cedo e criou sete filhos. Como a maioria das mulheres de seu tempo, não tendo outra profissão para ganhar seu sustento e o dos filhos foi fazer faxina e lavar roupas.

Em uma das casas em que trabalhou, Branca tornou-se muito amiga da patroa, Tesse, uma senhora francesa, que muito a ajudou.

Tesse e o marido conseguiram empregar os filhos mais velhos de Branca quando em idade de trabalhar.

Branca viveu na casa de sua nora Maria Meira durante dezessete anos. Nesse tempo houve alguns dissabores entre elas porque Branca, apesar de ser muito prestativa e trabalhadora, era também muito mandona.

Por causa desses desentendimentos, Branca acabou indo morar na casa de outro filho, mas lá começou a ficar doente porque tolheram sua liberdade, o que não ocorria quando estava na casa de Maria Meira.

Branca e sua amiga Tesse faziam parte de uma Escola Iniciática e saíam sempre juntas. Quando o marido de Tesse morreu, Branca ia dormir todas as noites na casa da amiga que tinha medo de ficar sozinha.

Alguns anos depois, Tesse faleceu. Depois de algum tempo, Branca adoeceu e ficou mal. Quis falar com Maria Meira e mandou chamá-la. Quando a nora chegou ao hospital ela já estava inconsciente e elas não puderam conversar.

Mas Maria sentiu que ela desejava pedir-lhe perdão pelos desentendimentos passados e embora não guardasse nenhum ressentimento por entender que o que acontecera entre as duas foram fatos comuns a duas pessoas que moram juntas e pensam de maneira diferente, ela disse que a perdoava de tudo e pediu perdão também.

Nesse dia, Branca entrou em coma. Maria percebeu que o desencarne não ia demorar. Mas de repente, Branca começou a debater-se em dolorosa aflição.

Todos rezavam e ela continuava se debatendo. Maria sentiu que precisava intervir e pediu para que todos saíssem do quarto. Ficou em prece e de repente viu uma entidade entrar e tentar cortar um cordão que saía do umbigo de Branca e se perdia no espaço. Mas toda vez que ela tentava o corte, o cordão engrossava e ela parava.

Em um dado momento, Maria viu entrar

no quarto a amiga Tesse, acompanhada de seu esposo na Terra.

Pensou que eles tinham vindo para ajudar Branca a partir, mas qual não foi sua surpresa ao ver que Tesse, furiosa, atirou-se sobre Branca, agredindo-a. Quando ela fazia isso a doente se debatia aflita. Por fim, ela viu que o esposo de Tesse finalmente conseguiu retirá-la do quarto. Aos poucos Branca foi se aquietando. Maria chamou os filhos e pouco depois ela desencarnou.

Pensando no que havia presenciado, Maria deduziu que Tesse viera cobrar algo de Branca. Sabia que Tesse era ciumenta e seu marido muito atencioso. Teria havido alguma coisa entre ele e Branca? Ela nunca poderia saber. Mas ficou pensando que seja qual for a causa dos desentendimentos entre as pessoas, é melhor resolver bem antes de deixar este mundo, a fim de evitar sofrimentos futuros.

***

Há no mundo muitos assuntos envoltos em mistério, injustiças, crimes nunca resolvidos, abusos de poder, falsidades e traições que permanecem sem solução. Por tudo isso se muitos duvidam da ação da justiça dos homens, há até aqueles que duvidam da justiça de Deus. Entretanto, se tivéssemos o poder de vislumbrar cada caso além das fronteiras do nosso mundo material, mudaríamos de atitude.

Muitas pessoas não dominam seus instintos inferiores por acreditarem que se ninguém descobrir o que elas fazem, nada de mal vai lhes acontecer.

É a mesma ilusão do marginal que sonha ludibriar a polícia, mas que fatalmente acaba um dia dentro de uma cela ou mesmo na sepultura.

Quem age mal, pensando que ninguém está vendo, ignora que vive cercado por seres de outra dimensão que tudo vêem, e o que é mais grave, que há no Universo um registro de todos os acontecimentos, nos mínimos detalhes.

Conhecido entre nós como registros akásicos, não só guardam as informações como tornam possível a quem puder ter acesso, assistir ao que aconteceu de verdade em qualquer tempo e lugar. Pelas informações de quem já teve oportunidade de viver uma experiência dessas, até os pensamentos de cada participante são guardados e podem ser ouvidos.

Claro que tudo isso existe para que a vida responda com justiça e verdade às nossas atitudes e ações. Só que nem sempre essa resposta é imediata. A vida só cobra atitudes de cada pessoa quando ela já amadureceu e tem condições de aproveitar as lições. Não é um castigo, mas sim uma oportunidade de aprendizagem.

Com essas considerações não desejo afirmar que Branca tenha sido amante do marido de Tesse. Mas se ela se voltou contra a amiga que sempre a apoiou, fez-lhe companhia nos momentos difíceis, foi porque teve seus motivos.

Quais são, só eles e Deus sabem. Não estamos em condições de julgar quem quer que seja. O que fica para nós é a certeza de que permanecer no bem, prestar atenção em nossas atitudes, não prejudicar os outros, é o melhor caminho para preservarmos nossa paz.

Caso enviado por:
Maria Meira
Rua Manoel de Carvalho, 460
Pirituba – São Paulo

Aonde Está o Boi?

Odonel, pai de Lily, quando jovem e solteiro era boiadeiro e transportava boiada entre os Estados de Mato Grosso, Goiás e Minas Gerais.

Era um trabalho duro, perigoso e de muita responsabilidade. Viajavam o dia inteiro a cavalo, levando a boiada, só parando para o almoço. À noite acampavam debaixo das árvores em plena mata, cozinhavam ao ar livre e dormiam em barracas improvisadas.

Certa vez estavam levando uma boiada e Odonel era o encarregado responsável. Nessa boiada havia um boi reprodutor, muito valioso, que exigia bastante cuidado. A certa altura do caminho, perceberam que o boi não estava no meio da boiada.

Odonel, muito preocupado, resolveu voltar pelo caminho percorrido para procurá-lo. Procurou bastante, mas não o encontrou. Quando passou por um lugarejo, onde havia um cemitério, já estava escurecendo e ele não sabia mais o que fazer nem onde procurar. Não queria prosseguir sem o boi.

Então resolveu descer do cavalo, entrar no cemitério e pedir ajuda para as almas. Acendeu uma vela que sempre levava consigo e rezou muito dizendo que estaria perdido se não encontrasse o boi.

Saiu do cemitério, montou no cavalo e começou a voltar pelo caminho que havia passado. Quando se afastou um pouco ouviu uma voz dizendo:

– Ei! O boi está aqui!

Ele parou e a voz continuava repetindo as mesmas palavras. Odonel procurou seguir a direção de onde ela vinha, entrou em uma mata fechada e cheia de cipó. Lá, emaranhado nos cipós, encontrou o boi. Ajudou-o a desembaraçar-se e o conduziu à boiada. Ele conta que quando ouviu a voz não viu ninguém, mas tem certeza de que foi ajudado pelas almas.

Mais tarde, já casado e com família, ele veio residir em São Paulo e Lily, sua filha caçula, conta que enquanto viveu, todas as segundas-feiras ele ia à Igreja das Almas, na Liberdade, acender uma vela em agradecimento à ajuda obtida.

***

Odonel, em sua simplicidade, tinha fé sincera e acreditava tanto na ajuda dos espíritos que conseguiu ser ajudado.

Há quem pense que nos cemitérios permanecem somente os espíritos não esclarecidos ou com dificuldade de separar-se do corpo. Eles estão lá. Há pessoas que durante a vida toda valorizaram a opinião alheia, não desenvolveram a própria força. Sem opinião, deixaram-se conduzir pelos outros. Ao desencarnar ficam perdidas e tornam-se presas fáceis para os espíritos mais primitivos que, além de sugarem suas energias, ainda os escravizam aos seus caprichos.

É preciso compreender como a vida funciona. Ela trabalha em favor do nosso crescimento espiritual, o que ninguém consegue sem desenvolver a lucidez. De acordo com nossas possibilidades, ela coloca os desafios em nosso caminho para atingir esse objetivo.

Por tudo isso, é importante que você não fique em cima do muro. Até nas menores coisas, consulte seu coração e tome uma posição. Não faça nada contrariado apenas para agradar os outros. Coloque-se diante das pessoas com sinceridade, firmeza e independência.

É você que vai colher os resultados de suas atitudes, e quando elas causam sofrimento de nada adiantará culpar os outros.

Há muitas maneiras de demonstrar amizade, respeito e amor, sem se tornar servil e colocar-se em segundo plano. Ao contrário. Quando você se posiciona com sinceridade, as pessoas passam a respeitá-lo e valorizar mais sua amizade.

Se você sente que alguém está invadindo

sua intimidade, não se acanhe em conversar e dizer o que o está incomodando. É você quem precisa colocar os seus limites em uma relação, porque se não fizer isso as pessoas não sabem até onde podem ir. Se algumas são mais discretas, há as que invadem sem o menor escrúpulo, perdendo o respeito.

Os mais ousados dominam os tímidos, tanto aqui na Terra como quando passam a viver no astral. É a lei do mais forte e é preciso firmeza mental para escapar a esse domínio.

É comum vermos pessoas bondosas dominadas por pessoas perversas e audaciosas. Se a bondade faz amigos, é a firmeza que defende seu espaço da invasão. Quem cultiva a bondade não pode deixar a porta de sua casa aberta a todos que queiram entrar. O que acontece com você durante sua vida terrena continua após a morte.

Os espíritos atrasados que habitam os cemitérios não podem ser vistos, mas lá também há espíritos de luz no sagrado ministério do auxílio, protegendo os que desencarnam em melhores condições ou permanecendo à espera daqueles que, tendo aprendido a lição necessária, possam ser libertados.

Odonel entrou no cemitério respeitoso e cheio de fé. Pode ter sido auxiliado por um espírito iluminado, mas é também muito provável que alguém, menos evoluído e por isso muito próximo ao mundo material, tenha se sensibilizado com o problema dele e o tenha conduzido ao lugar aonde estava o boi.

Nunca saberemos o que realmente aconteceu, o que é certo, porém, é que até as almas mais primitivas colaboram quando sabemos nos colocar diante delas como fez Odonel.

Caso enviado por:
Lily Ferreira
Rua Gervasio Eschivinin, 94
Jardim Patente – São Paulo

A Volta de Letícia

Clarice nos conta que sua filha Iracinda, que mora com as irmãs em Rio Grande da Serra, próximo a Ribeirão Pires, anos atrás teve um sonho que se repetiu várias vezes.

Nesse sonho, Iracinda via-se maltrapilha, revirando o lixo de um supermercado, em busca de algo para comer e para dar a uma menina morena, de cabelos crespos, que choramingava agarrada às suas vestes.

De repente chegava uma enfermeira que apontava para um hospital próximo dizendo:

– Venha, venha depressa ver a sua filha. Ela está muito mal.

Correndo desesperada, Iracinda chegava ao hospital e pelos vidros da porta de uma sala de cirurgia, via a menina, que antes choramingava quando ela revirava aquele lixo, deitada em uma mesa, toda ligada a aparelhos, com o peito aberto, desde a garganta até quase o umbigo. Dava até para ver o coraçãozinho dela batendo fracamente.

Iracinda, desnorteada, esmurrava os

vidros querendo entrar, mas não lhe era permitido. Até que finalmente a porta abriu e um médico todo de branco, abraçou-a dizendo:

– Coragem. Fizemos o possível, mas ela estava muito fraca, não resistiu. Você demorou muito para conseguir uma vaga e tratá-la. Infelizmente, ela está morta.

Iracinda entrava na sala, abraçava a menina que estava ainda com o peitinho aberto e dizia:

– Filha minha! Querida Letícia, perdoe-me. Eu te amo muito e juro que vou cuidar de você. Não vou deixar isso acontecer nunca mais. Eu lhe prometo.

Era tudo tão forte e real que Iracinda acordava com os olhos molhados de lágrimas, sentindo desespero e dor.

Esse sonho repetiu-se várias vezes, exatamente igual. Iracinda se admirava, porquanto era solteira e sem filhos.

Dois ou três meses depois do último sonho, Inilda, irmã de Iracinda ficou grávida. Inilda precisava trabalhar fora porque seu marido a abandonara e ela tinha outro filho para sustentar.

Foi uma gravidez de alto risco, mas ela trabalhando muito conseguiu chegar até o fim da gestação. Durante esse período, Iracinda teve outro sonho: viu-se em um lugar entre outras pessoas e sentiu alguém puxá-la pelo vestido. Virando-se viu a menina do antigo sonho que lhe dizia:

– Você se lembra de mim? Está me reconhecendo? Eu sou a Letícia. Meu nome é esse e eu estou voltando. Não se esqueça. Meu nome é Letícia.

Dali a alguns dias Inilda passou mal, foi para o hospital e deu à luz uma menina. Foi um parto difícil, a criança nasceu sufocada, toda roxa.

O médico levou a menina para a mãe e disse:

– Mãe, essa filha é um presente de Deus. Ela nasceu praticamente morta. Eu mesmo não acreditava que ela conseguisse respirar. Com o poder de Deus ela conseguiu.

Quando Inilda teve alta e junto com Iracinda foram trocar a menina para irem embora, levaram um grande susto: em seu peito havia um risco branco igual à cicatriz de uma cirurgia. A menina era morena e tinha os cabelos crespos.

Inilda colocou nela o nome de Naomy. Com mais de três anos, ela adora a tia Iracinda, que cuida dela para a mãe poder trabalhar, e para quem ela costuma dizer:

– Cinda, eu te amo. Sou o seu bebê, você me ama? Obrigada por tudo que você faz por mim.

Clarice e as filhas têm certeza de que essa criança é a menina do sonho que foi filha de Iracinda em outra vida. Ela é a Letícia que voltou.

***

Caso típico de reencarnação. Os cientistas que estudam o assunto pesquisaram vários casos onde as pessoas nascem trazendo no corpo marcas das experiências vividas em outras vidas.

O dr. Ian Stevenson pesquisou durante muitos anos e publicou o livro *Vinte casos de*

reencarnação, onde relata o resultado de suas pesquisas. No Brasil, o dr. Hernani Guimarães de Andrade, fundador do Instituto de Psicobiofísica, tem estudado esses fatos por mais de cinqüenta anos e publicou larga bibliografia a respeito. Ambos os cientistas, de renome mundial, relatam casos onde apareceram as marcas de nascença, como no caso de Letícia.

Explicam que isso acontece quando o intervalo entre uma encarnação e outra é mais curto do que o usual e as impressões dos fatos ainda permanecem muito fortes gravadas no corpo astral.

O corpo astral é o que sobrevive após a morte do corpo físico. Nele se localiza o arquivo completo de nossas vidas passadas. Quando o espírito vai reencarnar, seu corpo astral, que se liga ao óvulo fertilizado no ventre materno, comanda o processo e imprime no corpo em formação suas próprias características. O corpo astral é o modelo biológico do corpo físico.

A hereditariedade tem influência limitada, o que explica por que os filhos dos mesmos pais podem ser tão diferentes entre si. A reencarnação também explica as injustiças sociais e a aparente desigualdade de condições em que as pessoas nascem. Por tudo isso, estudá-las é estudar a vida e conseguir enxergar além das aparências do mundo material.

Caso enviado por:
Clarice Victoria Dias
Rua Celso Augusto Nunes, 53
Mauá – São Paulo

O Incêndio do Andraus

Maria Regina Modenese é sobrevivente do incêndio do edifício Andraus, ocorrido em 24 de fevereiro de 1972.

Na época ela estava com dezessete anos, trabalhava em uma Companhia de Seguros no nono andar do edifício. Era seu primeiro emprego e ela não tinha nenhuma experiência.

Havia pedido demissão na véspera, dia 23, pois tinha conseguido outro emprego e iniciaria no dia 23 de março. Por causa disso, fez um acordo com a Cia. de Seguros de trabalhar até o último dia do mês de fevereiro.

Atualmente, depois de tantos anos, Maria Regina ainda se lembra que no dia 24 aconteceram vários fatos tentando impedi-la de ir trabalhar, mas ela os ignorou e foi assim mesmo.

Acordou atrasada, o trânsito estava péssimo, o ônibus em que ela viajava quebrou e ela passou mal no outro ônibus, pois estava muito cheio. Quando chegou na porta do edifício não teve vontade de entrar. Parecia que alguém a segurava.

Durante todo o período da manhã foi acometida de desânimo e se perguntava:

– Por que estou aqui se pedi demissão?

Após o almoço, alguém soprava em seu ouvido que ela precisava ir embora e ao mesmo tempo ela sentia a sensação de estar sendo empurrada.

Por volta das quinze horas falou a um colega:

– João, você vai comprar algo para o lanche?

– Não, Regina. Temos o que lanchar, além disso nossa chefia não vai permitir.

Maria Regina insistiu, sentia que ele precisava sair, mas não adiantou.

Ela continua contando:

– Às 15h40 uma escura fumaça passou por nossa janela. Fomos ver e aí foi um corre-corre, cada um por si, sem saber o que fazer, pois não havia alarme.

"Peguei minhas coisas e tentei alcançar o elevador (não sabia da prevenção de que era perigoso), mas não consegui, o que foi minha sorte. Corri para as escadas, já totalmente lotadas.

Não havia nada, portas corta-fogo, alarme, água, extintor, foi um sufoco. Hoje, esse edifício é um exemplo em segurança.

Minha única e grande preocupação era minha mãe. Ela era muito dedicada e preocupada com as filhas, sempre rezando, pedindo a Deus pelo nosso bem-estar. Não queria que ela soubesse o que estava acontecendo, estava torcendo para que ela não ouvisse rádio nem visse televisão ou alguém lhe falasse a respeito.

Em minha ingenuidade acreditava que tudo aquilo acabaria logo e no horário de sempre eu estaria em casa, sã e salva. Não queria que minha mãe sofresse.

Passado o primeiro impacto, consegui chegar ao décimo segundo andar e encontrei dois colegas. Ficamos juntos até o fim. Estávamos sem saída e só nos restava esperar a hora de morrer.

Nas escadas, o pânico era total. Alguns choravam, outros gritavam, outros riam (claro que de nervosismo), todos queriam sair daquele inferno.

Como os fundos do edifício davam para a praça da República, pela janela víamos a multidão aglomerada, cartazes pedindo calma e eu torcendo para que minha mãe não soubesse de nada. Infelizmente, ela soube e esse acontecimento deixou sua saúde abalada até a sua morte.

Foram muitas horas sem qualquer esperança, sem água, um odor horrível, não sei o que foi pior: se o calor insuportável ou a falta de oxigênio. Eu não tinha bem noção do que estava realmente acontecendo. Parecia que tudo acabaria em segundos. Qual nada, puro engano, foram horas de agonia.

Depois de mais de seis horas dentro

daquele caldeirão, chegou a hora de sairmos para o heliporto e aguardar o resgate. Nossa sorte: o bendito heliporto.

Entre o resgate e ver minha família foram mais algumas horas. Eu que imaginava estar em casa por volta das 18h30, cheguei por volta das duas horas da madrugada do dia 25 de fevereiro de 1972.

Considero que no dia 24 de fevereiro de 1979, completei vinte e sete anos, pois nasci de novo. Hoje faço aniversário duas vezes por ano.

Não tenho nenhuma marca no corpo físico, mas interiormente vivo em estado de alerta, o que de certa forma chega a ser prejudicial.

Contei minha experiência para mostrar que o plano espiritual está ao nosso lado, nos intuindo e protegendo. Basta termos ouvidos e olhos para ver."

***

Este impressionante relato nos mostra a necessidade de valorizar nossa intuição. Entretanto, é necessário que aprendamos a distinguir o que é verdadeiro do que nos está sendo sugerido pelos nossos medos.

Acreditamos que pensar nos perigos seja evitá-los quando muitas vezes sem o saber, estamos atraindo exatamente o que tememos.

Aprender a ouvir nossa intuição requer tempo, observação, bom senso. Quanto mais

centrados estivermos, quanto mais ligados à nossa essência interior, mais chances teremos de perceber a verdade.

A Maria Regina confessa que até os dias atuais, tantos anos depois, ainda fica em estado de alerta, com medo de ser surpreendida por algum perigo. Isso demonstra que ela não confia na própria intuição.

Apesar de a sua experiência ter mostrado que há uma proteção invisível à sua volta, ela ainda resiste em aceitar isso, preferindo pensar que a vida está sujeita ao acaso, onde tudo de ruim pode acontecer.

Isso não é verdade. Se coisas ruins acontecem, e as vemos em profusão à nossa volta, é porque as pessoas acreditam nelas e ignoram completamente os valores eternos da alma. Orientam-se pelo lado ilusório das aparências, tomam decisões equivocadas, cujos resultados levam ao sofrimento, à desilusão e à depressão.

Se nada dá certo para você, é hora de repensar sobre seus valores, buscar outros caminhos que possam trazer-lhe melhores opções de vida; é hora de prestar mais atenção e perceber o quanto tem sido protegido pelos amigos espirituais que estão à sua volta e que muitas vezes sentem-se impotentes para ajudá-lo porque você prefere ligar-se ao pessimismo afastando a possibilidade de qualquer ligação.

Por tudo isso é que o otimismo, a vontade

de perceber os recados que a vida está lhe mandando por meio do que lhe acontece no dia-a-dia, a valorização da intuição que representa a mais perfeita ligação com a verdade, somados ao discernimento e ao bom senso, mudarão sua vida para melhor, permitindo desde logo que você usufrua de mais serenidade, equilíbrio e paz.

Caso enviado por:
Maria Regina Modenese
Rua Pirituba, 157, apto. 14
Mirandópolis – São Paulo

Aconteceu no Carnaval

No ano de 1961, quando todas as viaturas da Secretaria de Segurança eram brancas e pretas, Silvio Lourenço Tibério, guarda civil, estava a serviço com seu parceiro Romualdo, na Rádio Patrulha de número 226. Era terça-feira de Carnaval, e eles estavam na av. Santo Amaro, ao lado da estátua de Borba Gato, construída pelo escultor Júlio Guerra, que naquela época estava sendo erguida, deixando muito material de construção no local.

Por volta da 1h20, já entrando na madrugada de quarta-feira de cinzas eis que, ao lado da Rádio Patrulha, um volks, ano 1962, estacionou preventivamente com o vidro fechado. Silvio Lourenço viu aparecer do lado de fora da janela uma jovem aparentando cerca de vinte e poucos anos.

Imediatamente, abaixou o vidro da viatura para saber o que a moça desejava, porém ela desapareceu como por encanto. Silvio contou ao seu colega, que no momento estava com atenção no rádio do controler, e ele saiu da viatura para ver se havia alguma jovem nas imediações, mas não encontrou ninguém.

Passados alguns dias, ao conversar com outros guardas de outras guarnições, pois havia mais três guarnições de diferentes horários que utilizavam a Rádio Patrulha número 226, eles descobriram que por diversas vezes, quando estacionavam a viatura policial de madrugada, seus colegas presenciaram a aparição dessa jovem, que nada dizia e instantes depois, desaparecia.

O mais curioso foi que os dois policiais descobriram que essa viatura, semanas antes, estivera "baixada" (termo que usavam quando o carro não estava operando por problemas mecânicos ou por acidente). Ela ficara parada para reparo na oficina por ter atropelado uma jovem de pouco mais de vinte anos na av. Duque de Caxias.

Havia um bonde parado e a jovem atravessou na frente, sem olhar se vinha algum veículo. Foi colhida em cheio pela viatura número 226, tendo morte instantânea.

Até hoje esses policiais se recordam do caso e pelas descrições que todos que a viram fizeram, acreditam que a moça que aparecia de madrugada era o espírito da jovem que morreu atropelada por aquele carro de Rádio Patrulha. O distintivo de Silvio Lourenço na ocasião era de número 6265.

***

Não há dúvida de que era o espírito da jovem atropelada pela Rádio Patrulha que aparecia aos policiais.

Por que será que ela fazia isso? Estaria consciente? Ou precisando de ajuda? Nesse caso, seu espírito estaria vagando sem rumo, ligado à viatura que lhe roubou a vida? Quem morre em acidente não é socorrido imediatamente pelos espíritos bons?

Para responder a essas indagações precisamos analisar bem os fatos. É bom notar que ela aparecia, mas não falava nem pedia nada. Desaparecia rapidamente. Tudo leva a crer que o espírito dessa jovem não estava de fato ali e que essas aparições eram apenas projeções dela.

As pessoas que morrem em acidente, são arrancadas do corpo violentamente, em plena saúde física. Embora não sofram nada no momento da morte, pois os que sobreviveram a essa situação disseram não se recordar sequer do acidente, as impressões dolorosas aparecem quando tomam consciência depois, descobrindo que deixaram o mundo, principalmente se forem jovens e esperavam viver na Terra longo tempo.

Socorridos nos hospitais do astral, alguns levam tempo para libertar-se dessas impressões, pensando constantemente no acidente e como poderiam tê-lo evitado. Sem querer projetam-se para o passado, ligando-se ao acontecimento.

Assim, o espírito da jovem se projetava

aparecendo ao lado da Rádio Patrulha que lhe tirara a vida e era vista pelos policiais. Se o espírito dela estivesse realmente ali, teria tentado conversar de alguma forma, o que não fez.

É provável que algum tempo depois ninguém mais a tenha visto perto daquele carro. Isso significa que ela finalmente conseguiu libertar-se das impressões. Talvez até tenha descoberto o que a vida desejou lhe ensinar quando permitiu que ela passasse por essa experiência.

Caso enviado por:
Silvio Lourenço Tibério
Rua Capitão Fidelis, 129, apto. 12
Santo Amaro – São Paulo

Um Caso de Obsessão

Aconteceu no ano de 1941. Clarisse contava oito anos de idade, mas se recorda perfeitamente. Na época morava com os pais na cidade de Mogi-Mirim, interior de São Paulo, na rua dr. Ulhoa Cintra, 53 – Centro. Seu pai era gerente da extinta Central Elétrica (atualmente Cesp).

Clarisse tinha uma tia, Barbina, casada com Benedito Nalim, irmão de seu pai. Eles residiam em Rio Claro e a tia havia três meses estava muito doente. Não saía da cama, não comia nem bebia, nem abria os olhos. A família estava muito preocupada. Os médicos não conseguiam resolver.

Certo dia, a família de Clarisse recebeu um telefonema avisando que tia Barbina estava muito mal. Uma junta médica havia dito que ela poderia morrer a qualquer momento. Se a família quisesse vê-la pela última vez que se apressasse, uma vez que o desenlace era eminente.

Essa notícia foi um choque para todos,

pois a família era muito unida e tia Barbina muito querida. Desesperado, o pai de Clarisse alugou um táxi para chegar mais rápido. Um colega dele do escritório, Aurino, vendo o desespero da família, chamou-o de lado sugerindo:

– Convém levar minha irmã Luzia. Quem sabe poderá ajudar em alguma coisa. Não custa tentar.

Luzia era médium e dirigia um Centro Espírita, além disso era amiga da família. O pai de Clarisse falou com a esposa que concordou.

Quando o táxi chegou eles pediram para passar na casa de Luzia que, além de ir com eles, levou Maria, outra médium do Centro Espírita.

Chegando na casa de Barbina, encontraram-na deitada, inerte, pálida. Os pais de Clarisse entraram no quarto com o marido dela, Benedito; Luzia e Maria. Fecharam a porta.

Clarisse e os primos choravam muito e aguardavam os acontecimentos acreditando no pior.

Ouviram vozes, choros e gritos, e isso durou mais ou menos duas horas. Passado esse tempo, a porta foi aberta e para espanto de todos Barbina estava sentada na cama dizendo:

– Pelo amor de Deus, tragam-me comida! Estou com muita fome. Vocês querem que eu morra de fraqueza?

O contentamento foi geral. Barbina fora atacada por uma falange de espíritos perturbadores que a dominaram.

Barbina, após comer, levantou-se ainda muito fraca, mas se recuperou. Teve mais quatro filhos, totalizando quatorze. Viveu muitos anos desfrutando de boa saúde.

Na época, Barbina residia na rua Um-A, 55 entre as avenidas 8 e 10. Ainda hoje lá reside sua filha Ivone.

***

A interferência dos espíritos desencarnados em nosso mundo sempre existiu. Há os bons que nos ajudam e protegem e há os que menos equilibrados continuam vivendo na crosta terrestre, envolvidos com os problemas que deixaram no mundo, aproveitando-se dos pontos fracos das pessoas para conseguir manobrá-las de acordo com seus interesses.

Muitos não aceitam essa realidade, considerando injusta essa interferência, alegando que não podemos vê-los e por esse motivo não temos como nos defender. Desta forma, colocam-se na cômoda condição de vítimas.

Uma observação mais acurada nos mostra que estão enganados. Ninguém é vítima. Cada um é responsável pelas suas atitudes e são elas que determinam os fatos que a pessoa atrai em sua vida.

A influência dos espíritos ocorre por intermédio da afinidade vibratória. Nenhum espírito voltado ao mal tem como causar dano a alguém cuja vibração é mais elevada do que a sua. É por esse motivo que quando um espírito quer

atingir uma pessoa e não consegue porque ela está em harmonia com energias superiores, ele tenta envolver outras pessoas ligadas a ela pelos laços afetivos, a fim de que leve preocupação e possa desestabilizar o equilíbrio de quem ele quer atingir. Feito isso, a energia da pessoa se perturba, baixa a vibração e ele consegue finalmente envolvê-la.

Alguns desses espíritos têm a inteligência muito desenvolvida, embora seus sentimentos sejam primitivos. Muitos acreditam que a obsessão ocorre por vingança de fatos acontecidos em outras vidas. Embora isso também possa ocorrer, a maioria dos casos refere-se às atitudes do presente.

Espíritos viciados no comer, beber, jogar, na maledicência, no domínio, no poder, nos abusos do sexo, da política, após a morte do corpo pretendem continuar se aproveitando das energias dos outros, explorando-os.

Aliás, esse fato acontece também entre os encarnados. Se você deixar, as pessoas vão explorá-lo sem piedade.

Por esse motivo é que cada um precisa tomar posse de si mesmo, tendo bom senso, não se deixando usar por ninguém. Quando essas pessoas não conseguem o que desejam, costumam dizer que você está sendo egoísta. Não se deixe iludir. Preste atenção nelas e logo perceberá a verdade.

Cada vez que você assume o comando de sua vida, se unindo com Deus, estará se fortalecendo contra toda sorte de envolvimento externo e preservando seu equilíbrio.

Os espíritos perturbadores estão à nossa volta, mas só conseguem nos atingir quando fraquejamos.

Algumas vezes também a obsessão aparece para despertar as pessoas para a espiritualidade. Quem viveu uma experiência dessas, nunca mais esquecerá.

Caso enviado por:
Clarisse Nalim
Rua Mauro 585, apto. 84 BL-A
Edifício Ilha da Madeira
Saúde – São Paulo

Encontro no Além

Aparecida tem mais de 55 anos, é casada e tem três filhos. Marco, o mais velho, casou com Irene e dessa união nasceu Vanessa.

No ano de 1990, Marco, após oito anos de casamento disse à esposa:

– Estou me sentindo infeliz. Vou me separar de você.

Irene ficou desesperada. Amava o marido, não se conformou com o rompimento. Perdeu o apetite, ficou doente e deprimida.

Aparecida, que gostava de estudar o espiritismo, começou a ler o Evangelho para a nora, na intenção de ajudá-la.

Irene também começou a ler todos os livros que podia e comentava:

– Nosso corpo morre e nosso espírito fica vivo? Se for verdade é maravilhoso.

Ao que Aparecida respondia:

– Pode acreditar. Deus nos fez eternos.

Cinco meses depois da separação, Irene disse para a sogra:

– Não quero mais viver sem o Marco.

– Você precisa ter coragem! Pense em sua filha! Vanessa precisa de você.

– Vanessa tem você e o avô, eu só tenho o Marco. Eu vou morrer!

Depois disso Irene foi ficando fraca, teve um aneurisma, ficou internada na UTI da Beneficência Portuguesa durante trinta e dois dias. Ouvia, mas não podia falar. Só piscava com os olhos para dizer sim ou não. No dia em que completou trinta anos, faleceu.

A família ficou muito triste, principalmente Aparecida que adorava a nora. Vanessa, que estava com cinco anos, foi morar com ela.

Aparecida ficou desolada. Uma noite sonhou que estava em um jardim maravilhoso, onde as flores pareciam ter vida, tal o colorido e a beleza. Então ela viu Irene, amparada por dois enfermeiros. Ela, porém, estava alheia a tudo e Aparecida teve intuição de que ela havia ficado com seqüelas da doença que lhe atingira o cérebro. Sentia que ela estava em tratamento e pensava que logo ficaria boa.

Em outra noite, Aparecida sonhou que alguém lhe dizia:

– Você precisa ir ver Irene no hospital.

– Como posso visitá-la se ela faleceu? – perguntou ela.

Mas quando se deu conta estava em um corredor e batendo em uma porta de um quarto de hospital. Abriu a porta lentamente. Era um quarto pequeno, tinha uma mesinha com um vaso e algumas flores iguais as que ela tinha visto nos outros sonhos. Na cama havia uma pessoa deitada, coberta até a cabeça. Ela sabia que era Irene. Chegou bem pertinho e chamou:

– Irene! Irene!

Ela descobriu a cabeça sorrindo e disse:

– Estou com raiva, o que eu fiz a você? Estou internada há mais de um ano neste hospital e ninguém da minha família veio me visitar.

– Ninguém podia vir porque faz um ano e meio que você faleceu!

Ela deu um pulo da cama e respondeu:

– Você enlouqueceu? Estou viva, veja meus braços minhas pernas, estou perfeita.

– Eu já dei todas as suas roupas, seu apartamento está alugado. Só suas jóias eu guardei para Vanessa.

– Eu vou embora daqui. Vou para Limeira morar com minha irmã e Vanessa vai comigo.

Aparecida pensou que ela como mãe tinha esse direito. Então Irene abraçou-a tão forte que ela acordou com a sensação do corpo dela em seus braços, sentindo seu perfume.

Outra noite ela sonhou que estava em um shopping e viu Irene. Aproximou-se dela, emocionada.

– Irene, minha querida, o que você faz aqui?

– O mesmo que você, estou fazendo compras.

– Como fazendo compras? Você morreu! Como pode?

– Você insiste que eu morri!

– Está bem. Se você não morreu, onde você mora?

– Quer ir à minha casa?

– Quero.

Ela pegou na mão de Aparecida e ambas saíram andando. Logo estavam em uma rua de terra muito estreita com casinhas dos dois lados. Todas tinham uma porta e uma janela. Em uma delas Irene parou:

– Eu moro aqui. Vamos entrar.

O local era igual ao quartinho que Aparecida vira no hospital, havia um vaso com uma flor amarela.

Aparecida sentiu-se feliz por estarem juntas e pensou:

– Ah! Se eu pudesse trazer a Vanessa aqui!

No mesmo instante, Vanessa entrou e disse:

– Eu sei, vovó, venho aqui todas as noites visitar mamãe. Só você não acredita que ela está viva. Você que nos ensinou que a vida continua, que o espírito é eterno!

Irene abraçou a filha dizendo:

– Por esse motivo eu digo que estou viva. O que você me ensinava era verdade!

Aparecida acordou meio sufocada e o quarto estava impregnado de perfume. Emocionada, agradeceu a Deus por aquele encontro e ficou em paz.

***

Irene conheceu Marco, mergulhou na paixão, esqueceu de si mesma. Entregou-se à ilusão, acreditando que seria para sempre. Fico me perguntando se não foi por isso que depois de oito anos de casamento, Marco sentiu-se tão infeliz e quis separar-se dela.

Muitas mulheres cometem esse erro. Tornam-se passivas demais, endeusam o companheiro, entram nesse papel e assim apagam a própria luz. Tornam-se cansativas, desinteressantes, e o amor deles acaba.

Ela mudou tanto que não era mais a moça cheia de vida, pela qual ele se apaixonou.

Como Irene investiu tudo na relação, ficou sem chão. Não viu quantas coisas boas ela tinha à sua volta, nem que poderia reconstruir sua vida afetiva porque todos nós temos capacidade de amar de várias formas.

Ela queria as coisas do seu jeito e como a vida não lhe deu o que queria, decidiu rebelar-se. Nem o amor da filha pequena conseguiu fazê-la perceber a verdade. Colocou toda sua força nesse desejo, conservou tanta mágoa e revolta, machucou-se a tal ponto que acabou adoecendo e morrendo.

Deve ter chegado ao astral como suicida e por esse motivo ficou em tratamento no hospital do astral. Foi se recuperando aos poucos e os espíritos que a ajudavam, sabendo que Aparecida tinha muita afinidade com Irene e possuía sensibilidade, conhecimento da vida espiritual, levaram-na várias vezes em sonho para visitá-la.

Aparecida tinha consciência dessas visitas e é provável até que elas tenham sido um pouco diferentes do que ela registrou, uma vez que os sonhos são muitas vezes truncados. Mas mesmo assim dá para sentir como ela auxiliou na recuperação da nora que adorava. Tanto que ela fala mais de Irene e da neta do que do próprio filho.

Como será que Marco reagiu a tudo isso? Será que Aparecida, tão apaixonada pela nora não o criticava pela separação? Será que Irene com sua atitude não desejou puni-lo pelo abandono?

São perguntas que só Marco pode responder, mas eu espero que ele tenha sabido separar as coisas e não tenha entrado na culpa. Ele tinha o direito de procurar a própria felicidade. Uma união só se mantém quando ambos desejam. Quando um não quer é porque a relação se deteriorou e embora muitos neguem, analisando bem, descobriremos que a responsabilidade é de ambos.

Caso enviado por:
Aparecida Mario Gomes Liberato
Rua Datagnan, 50, apto. 21
São Bernardo do Campo – São Paulo

A Carteira

Quem nos conta é a dra. Zizi Gaeta. Quando ela se casou, muitos anos atrás, foi morar na casa onde vive até hoje. Lá conheceu sua vizinha, Ofélia, que por não ter filhos criava sua sobrinha Berenice.

Berenice havia sido portadora da "doença azul", um problema de coração. Foi carregada no colo, empurrada em carrinho até os onze anos em uma época em que as cirurgias cardíacas eram perigosas. Quem cuidou dela foi o dr. José Monfort, médico agora desencarnado, que era grande amigo da família.

O tratamento foi bem-sucedido e Berenice tornou-se uma moça alegre e muito vaidosa. Foi nesse época que Zizi, jovem recém-casada, conheceu-a e tornaram-se grandes amigas.

Zizi gostava de deixar a amiga mais bonita. Quando ela ia passear, emprestava a Berenice brincos, colares, vestidos, sapatos e até ajudava na maquiagem. Sem grandes apegos, era uma amizade gostosa, com muito carinho e respeito.

Aos vinte e um anos, Berenice começou com uma dor de ouvido e de cabeça e foi diagnosticado um tumor no cérebro. Depois de muito sofrimento, ela veio a falecer.

Apesar da tristeza pela morte da amiga, a vida precisava continuar. Alguns meses após a morte de Berenice aconteceu um fato estranho. Zizi, que sempre foi caprichosa e gostava muito de andar na moda, comprou um par de sapatos da cor gelo e desejava usá-los no sábado, em uma festa.

Queria comprar uma carteira da mesma cor, como era moda, mas não a encontrou em nenhum lugar. Decidida a usar os sapatos, passou na casa de amigas e parentes para ver se alguém tinha a carteira para lhe emprestar, mas não conseguiu.

Pode parecer futilidade, mas para ela, naquele momento, era muito importante. Zizi queria usar aqueles sapatos. Seu marido entendeu e no sábado de manhã pediu a ela um pé do sapato e saiu para procurar a tal carteira para que ela pudesse estrear os sapatos na festa logo mais à tarde.

De repente, Zizi começou a sentir forte dor de cabeça, tomou vários analgésicos e nada de a dor diminuir.

"É nervoso", pensou ela, "por causa da festa".

Colocou o filho caçula de dois anos para dormir a fim de que pudesse enfrentar a festa e deitou-se atravessada na cama, querendo que aquela dor insuportável acalmasse. Tinha até dificuldade para enxergar.

Pensou que tivesse cochilado quando ouviu a campainha tocar. Levantou-se e sentiu-se leve, parecia que caminhava acima do chão, assim, foi até a porta.

Abriu a porta e notou que o dia estava lindo, céu muito azul. Foi quando viu Berenice no portão.

De expressão séria ela foi logo dizendo:

– Puxa, Zizi, você pediu a carteira para todo mundo e não lembrou de falar comigo. Eu tenho o que você quer. Usei só uma vez e ainda é muito melhor e mais prática do que carteira que você quer. É uma bolsa com alça. Você com criança pequena vai se atrapalhar com carteira que não tem onde segurar. Vá lá em casa que minha tia vai lhe dar a bolsa. Pode ficar com ela. É um presente meu. Você esqueceu o quanto me serviu e agradou? Por esse motivo fiquei triste por não ter se lembrado de mim.

Nesse momento, Zizi sentiu um tranco, seu coração disparou e ela notou que continuava deitada. Levantou-se zonza, com tanta dor de cabeça que não conseguia abrir os olhos. Pegou o sapato e se dirigiu à casa de Ofélia para relatar o acontecido.

Ela ouviu tudo, ficou branca, paralisada, sem ação, tal a surpresa. Nessa hora chegou o marido de Zizi, com o pé do sapato na mão, dizendo que não havia encontrado a carteira em lugar nenhum.

Ofélia não disse nada. Entrou em casa e voltou com uma caixa nas mãos, emocionada, chorosa, conseguiu balbuciar:

– Pegue, Zizi, é sua. A Berenice usou só uma vez.

Era uma bolsa da cor exata dos sapatos. Quando Zizi e Cesar entraram em casa emudecidos e emocionados, Zizi se deu conta de que a dor de cabeça havia desaparecido.

São passados trinta e oito anos desse fato. Ofélia teve cinco filhos, vários netos e ainda mora no mesmo lugar. Zizi continua colaborando com a nora e os netos dela. Guarda a bolsa até hoje. Não tem coragem de se desfazer dela.

***

Mesmo entre os que acreditam que a vida continua após a morte, há muitas fantasias com relação à vida astral. Há os que imaginam que os desencarnados quando não estão fazendo penitência por causa dos pecados, rezam o tempo todo para manter o equilíbrio espiritual.

Contudo, os espíritos nos têm demonstrado que a despeito da mudança de estado onde há alteração em algumas leis físicas, quem morre continua o mesmo, com suas preferências, afetos, hábitos pessoais etc.

O bom senso nos diz que não poderia ser diferente, uma vez que eles voltarão a reencarnar na Terra para continuar sua aprendizagem.

É preciso lembrar que todos os que estão encarnados vieram do mundo astral de onde trouxeram os costumes e hábitos que fizeram a nossa civilização. Tudo que existe aqui é reflexo do que há nas várias dimensões do astral. A única diferença é que no astral os grupos se unem pelas afinidades, enquanto na Terra reencarnam espíritos de vários níveis espirituais, e é essa diversidade que favorece a aprendizagem.

Após a morte do corpo físico, o espírito retorna ao seu grupo de origem, onde vivia antes de reencarnar. Nessa dimensão, recupera a memória astral e, dependendo de seu estágio evolutivo e emocional, avalia seu progresso e reencontra os amigos. É como o regresso de uma viagem.

Nesse mundo, o corpo astral torna-se tangente como o corpo de carne aqui, uma vez que sem ele não poderíamos atuar na matéria terrestre. Essas dimensões refletem o nível de seus moradores.

Os mais primitivos conservam padrões negativos e quando encontram acesso, interferem na vida dos encarnados. Os fanáticos organizam seitas religiosas ou políticas e tentam intervir no destino dos povos. Claro que é ilusão e conforme progridem vão se desligando delas.

Mas há os núcleos bem organizados, onde

o estudo, o trabalho e o lazer tornam a vida melhor e mais agradável. São os mundos mais evoluídos, onde a beleza, as artes, a solidariedade e a amizade são naturais.

A alegria espontânea, a generosidade e a cooperação são as principais características do espírito mais evoluído.

Quando o espírito toma conhecimento de que é responsável por tudo quanto lhe acontece, que são suas atitudes que atraem os fatos em sua vida, percebe que tem poder para mudar seu destino.

A felicidade é um estado de alma que todos desejamos. De posse desse conhecimento, o espírito se esforça para melhorar, controla os pensamentos, trabalha na melhoria do seu mundo interior.

Mas chega um momento em que é preciso enfrentar os velhos hábitos arraigados que se automatizaram e criaram situações desagradáveis para poder dar um passo adiante.

Berenice deveria estar nesse impasse. Espírito alegre, havia desenvolvido várias qualidades, evoluído em vários aspectos, porém havia ainda alguns bloqueios, algumas formas pensamentos que ela precisava eliminar. Corajosamente ela concordou em passar por dolorosas experiências que a ajudariam a libertar-se.

Assim, ela ficou livre para viver em uma dimensão superior, onde a alegria e o bem-estar imperam e onde a vida social é muito intensa. A sociedade lá não é como aqui onde as futilidades, o interesse, a inveja, o exibicionismo funcionam. Lá, as pessoas reúnem-se por prazer, trocando conhecimento, experimentando a criatividade, buscando equilíbrio e alegria.

As reuniões nesses mundos são como uma festa, onde a alegria é natural, sem bebidas alcoólicas nem competições desnecessárias. É um prazer natural, um reencontro de almas que se alimentam mutuamente, prazerosamente, criando beleza e descobrindo novas formas de viver melhor.

Apesar de viver em um mundo desses, Berenice não se esqueceu da amiga que a ajudou a superar seus momentos difíceis na Terra.

Interessante observar que quando o espírito se aproxima de alguém encarnado, o magnetismo terrestre aciona sua memória e ele sente os sintomas da doença que o vitimou. Por esse motivo, Zizi sentiu a dor de cabeça que Berenice tinha.

Algumas vezes, o espírito desencarnado domina essa sensibilidade, por esse motivo pode ser que Berenice tenha provocado essa dor de cabeça para reforçar sua presença.

Ela aproveitou o fato de Zizi estar obstinada pela vontade de usar os sapatos para dar uma prova, inclusive para a tia, não só da sua amizade, como da sobrevivência do espírito.

Tenho certeza de que depois desse fato, tanto Ofélia, como Zizi e Cesar tiveram certeza de que a vida continua após a morte.

Caso enviado por:
Zizi Gaeta
Avenida Baruel, 578
Vila Baruel – São Paulo

O Pé de Mamão

Meire nasceu no interior de Sergipe. Na época, seu avô, pai de seu pai, faleceu. Entre os muitos filhos, tio Antônio era o mais parecido com ele.

Aos cinco anos, Meire recebeu a visita de um senhor vestido todo de branco, que se apresentou como seu avô, mas ela não acreditou, uma vez que ele já era falecido e se parecia muito com seu tio.

Seu avô insistiu e continuou a conversar com ela:

– Minha querida, diga para seu pai que ele é muito bravo com você e que seu avô pediu que ele pare com isso. Eu gosto muito de você e se souber que alguém a está machucando virei o mais rápido possível. Você não está com medo de mim?

– Não. Sei que você é o meu tio Antônio! – respondeu ingenuamente a menina.

A mãe e os irmãos mais velhos acompanhavam a conversa espantados, uma vez que ela, aos olhos deles, conversava sozinha.

Um dia, Meire brincava com seus irmãos no quintal no local em que seu pai cultivava várias árvores frutíferas e plantas quando um pé de mamão se quebrou. Seu pai ficou muito zangado e, imaginando ser Meire a responsável pelo acontecido, pegou uma cinta para bater na garota.

Com a cinta na mão, ele levantou o braço e não conseguiu mais abaixar, sentia uma dor e uma câimbra muito forte.

– Ajude-me mulher, não consigo mover meu braço – disse ele para a esposa.

Meire assistia a tudo, morrendo de medo do pai e, para seu espanto, viu novamente seu avô aparecer e pedir:

– Diga para seu pai que só largarei seu braço quando ele deixar a cinta de lado.

Ela o obedeceu e avisou ao pai:

– Papai, meu avô está aqui e disse que só larga seu braço se você não me bater!

Ele, muito assustado, saiu correndo e até se esqueceu da surra que pretendia lhe dar.

Seu avô continuou:

– Não lhe disse, Meire, que a estaria protegendo? Pare de chorar, você não é a culpada, pois se fosse, eu mesmo lhe daria umas palmadas... – falou rindo e foi-se embora.

***

Depois desse fato, é muito provável que o pai de Meire nunca mais tenha tido coragem

de querer bater em uma criança de cinco anos com uma cinta de couro.

Infelizmente essa forma de violência ainda existe em nossos dias, em que pais muito ignorantes continuam machucando crianças pretendendo educá-las.

Esse sentimento de revolta tomou conta do avô de Meire que mesmo desencarnado reagiu contra essa selvageria. Felizmente ele conseguiu encontrar recursos para intervir, o que nem sempre é fácil para os espíritos que só podem provocar fenômenos em nosso mundo físico, utilizando-se do ectoplasma (um elemento especial feito com a união de energia de um médium com a deles).

É com esse processo que eles podem movimentar objetos e até materializar-se na Terra. Mas nem todos os espíritos dispõem desse conhecimento.

Caso enviado por:
Vanda Macêdo Sobral
Rua Urbano Santos, 52
Cumbica/Guarulhos – São Paulo

Roupas Rasgadas

Rosa Giolo, imigrante italiana, chegou ao Brasil aos quatro anos de idade. Ainda jovem casou-se com Gino Mazeti, também imigrante italiano. O casal teve muitos filhos e alguns faleceram muito jovens.

Gino chegou ao Brasil ainda criança e passou parte de sua juventude no interior de Minas Gerais. Seu bisavô Pedro, quando morava na Itália, foi tido como curandeiro. Gino não fugiu à regra e aqui no Brasil curou muita gente, cuidou de leprosos e nunca se contaminou, enfim era um homem valente e corajoso.

Antônio Mazeti, o filho caçula do casal, mais conhecido por tio Tonico, residia na casa dos pais na cidade de Garça, interior paulista.

Rosa era mãe prestimosa e, apesar de sofrer de bronquite e reumatismo, cuidava da casa com esmero. Era muito asseada e gostava de deixar a casa sempre muito limpa. Contava com a ajuda das filhas, uma vez que não podia pegar friagem e fazer grandes esforços.

Além disso, ela vivia remendando roupas,

hábito comum entre as mulheres daquela época, uma vez que as facilidades para adquirir roupas novas não existiam. Ela era muito elogiada por todos; devido ao seu capricho, os remendos ficavam perfeitos.

Certa ocasião, Rosa remendou uma camisa de tio Tonico e, quando ele chegou em casa, mostrou-lhe o trabalho cuidadoso que havia feito.

Mas Tonico ficou irritado e, rasgando a camisa, disse:

– Já lhe falei que não quero que remende minhas roupas, não gosto de usar roupas consertadas.

Rosa ficou deveras magoada; o ressentimento apunhalou seu coração. Algum tempo depois ela adoeceu gravemente. Foi trazida para São Paulo, cidade onde passou a residir com Cida, sua filha.

Após um período de muito sofrimento, Rosa faleceu. A partir daí, acontecimentos estranhos passaram a acontecer na casa de Cida. Começaram a aparecer roupas rasgadas, babados de sacos de mantimentos desmanchados, bainhas desfeitas etc.

Cida já estava exausta de tanto refazer bainhas. A situação era insuportável, pois além de tomar conta das três filhas e da casa, ainda tinha de passar grande parte do tempo remendando roupas e fazendo consertos.

As roupas avariadas eram em maior número do marido de Cida e de suas filhas, as dela nunca apareciam rasgadas.

– O que estaria acontecendo? – perguntavam todos.

Certo dia, o viúvo de Rosa, Gino, foi visitar a filha e tomou conhecimento do que estava acontecendo.

– Cida! É sua mãe – disse ele.

– Pai, por que a mãe faria uma coisa dessa? Eu não posso acreditar nisso!

Foi quando Gino a lembrou do fato ocorrido entre sua esposa e seu filho Tonico. Cida, então, lembrou-se do que a mãe, na época, lhe dissera:

– Cida, eu remendei a camisa de Tonico, mesmo sentindo dores nas mãos e muito doente, e ele a rasgou na minha frente. Você não imagina como estou sentida e magoada.

Após conversar com Cida, Gino disse:

– Não se preocupe, Cida, vou conversar com sua mãe – dizendo isso, foi para o quarto e iniciou uma prece solicitando que Rosa perdoasse o filho e ficasse em paz onde estivesse.

A partir desse dia, como num passe de mágica, a situação na casa de Cida voltou ao normal. Nunca mais ela encontrou roupas rasgadas ou bainhas desfeitas.

***

Esse acontecimento demonstra que as pessoas não mudam após a morte. Rosa conservou no astral os mesmos sentimentos com relação ao filho, que se recusou a usar roupas

remendadas. Era um direito dele, mas Rosa não entendeu. E fez mais, pretendeu chamar a atenção dos familiares para que soubessem que ela ainda se sentia magoada com a desfeita recebida.

A vaidade é ainda muito forte em todos nós e o orgulho ferido continua infelicitando as pessoas, dificultando a que se elevem mesmo depois de estarem em outra dimensão e descobrirem que todos nós somos eternos.

Por esse motivo dá para perceber que é melhor respeitar os outros e não fazer inimigos, porque, mesmo depois de mortos, eles poderão voltar para assombrar nossa vida.

Caso enviado por:
Eliane Aparecida Saluti Martins Ferreira
Rua Joaquim Lopes Figueira, 41
Mooca – São Paulo

Por Uma Vida Melhor

Flavia nasceu e foi criada numa religião chamada Congregação Cristã do Brasil. A mãe fazia parte dessa Igreja havia mais de cinqüenta anos.

Após mais de dez anos de casamento e ainda muito jovem, Flavia começou a sentir alguns problemas na sua união. Grávida, pensou que tudo iria melhorar. Tinha situação financeira estável e acabara de mudar-se para um ótimo apartamento.

Ela sentia-se realizada na sua religião, fazia parte da mesma Igreja da mãe e participava de grupos que praticavam a caridade.

Um dia, seu marido, que era muito mulherengo, resolveu vender o apartamento deles e ela, muito devota à Igreja, disse:

– Vou à Igreja ouvir a "palavra". Se Deus quiser que eu venda, Ele vai de alguma forma me avisar.

Após o culto, muito deprimida e triste, pois gostava muito daquele apartamento, um irmão levantou-se e disse:

– Alguém entrou aqui fazendo um pedido a Deus, e ele responde: "Não venda, não compre, não saia de onde você está, porque por meio de você Deus vai mostrar o Seu poder".

Aterrorizada, pois seria a primeira vez que ela iria contrariar o marido, Flavia foi para casa. Ultimamente, ele estava muito violento. E, após ela ter lhe comunicado que não venderia o apartamento, teve início um verdadeiro inferno em sua vida.

Seu marido, revoltado, começou a deixar faltar as coisas básicas que uma casa precisa. Muito chateada, porém achando que esse problema era só seu e com vergonha de contar suas dificuldades às pessoas, pois morava num bom apartamento e andava bem vestida, ela resolveu orar cada vez mais.

Num domingo, sua filha Andréa sentindo um cheirinho de carne entrando pela janela, disse:

– Mãe, estou com uma vontade de comer carne! – e desceu para brincar.

Flavia, olhando a vista linda que tinha de seu apartamento, chorou muito. Nesse instante, seu interfone tocou e o porteiro disse:

– Tem um irmão da Igreja com a esposa, ele deseja falar-lhe.

– Por favor, mande-os subir.

– Flavia, fui orar na hora do almoço e o Senhor mandou que eu lhe trouxesse este pacote de carne. Estou com muita vergonha, pois sei que você não precisa, mas Deus colocou muita responsabilidade nessa minha tarefa. Talvez você deva dar a alguém – dizendo isso o amigo despediu-se e partiu.

Depois desse dia, o interfone tocou muitas outras vezes e Flavia nunca mais passou necessidade. Andréa um dia comentou:

– Mãe, quando eu tiver vontade de alguma coisa vou falar bem baixinho, senão Deus vai ouvir e me dar tanto que vou até me enjoar.

Isso aconteceu há mais de catorze anos. Flavia separou-se, casou-se novamente e, atualmente, vive muito mais feliz. Abandonou a Igreja, mas continua com sua devoção a Deus, porém agora segue os caminhos da espiritualidade.

***

Nós nunca estamos sós e quando temos fé no poder divino, não importa a religião a que nos filiamos, sempre poderemos contar com a ajuda espiritual.

Flavia era pessoa de fé, fez uma pergunta a Deus e a resposta foi-lhe dada por meio de alguém que tinha mediunidade e captou a mensagem, acreditando que Deus lhe teria respondido em pessoa.

Eu prefiro pensar que Deus não é uma pessoa, mas a divina fonte de tudo. Nas igrejas, seja qual for a religião, há freqüentadores sinceros, de fé, e por esse motivo são auxiliados

pelos espíritos bons que prestam serviço às pessoas que fazem jus.

Foi o que aconteceu com Flavia. O curioso foi que os bons espíritos não conseguiram abrandar o coração do marido fazendo-o mudar de idéia. A maneira que encontraram de auxiliá-la foi inspirar a um companheiro da Igreja a que lhe levasse mantimentos.

Foi mais fácil sugerir o auxílio a quem gostava de ajudar os outros do que acabar com a teimosia e a chantagem do marido de Flavia, que deixando a família passar necessidade pensava poder conseguir o que desejava.

Não sabemos exatamente como esta história terminou. Entretanto, como várias pessoas foram sensibilizadas pelos espíritos para auxiliar Flavia, é de se imaginar que o marido tenha desistido de vender o apartamento.

Caso enviado por:
Flavia Mirian Antonio
Rua Embu, 106
Vila Galvão – São Paulo

Fé Materna

Desde pequeno o filho de Dalva tinha problemas espirituais, mas apenas ela acreditava piamente nisso. Na escola, depois de várias avaliações, pediram que ela o levasse a neurologistas e psicólogos. Nada adiantou.

Aos sete anos, seu filho dava um trabalho danado na escola, não queria entrar, voltava com ela para casa; era um verdadeiro tormento.

Dalva, depois de dois anos nessa luta, foi instruída a procurar um Centro Espírita. Com muita garra e fé, levou-o ao Centro Espírita. Lá chegando, enquanto assistiam à sessão, seu filho caiu para trás, batendo a cabeça fortemente. Todos ali ficaram preocupados, e um dos médiuns disse:

– Traga essa criança até aqui!

Nesse mesmo dia foi realizada uma sessão de desobsessão, e ela foi informada que seu filho estava sendo obsidiado por uma família que havia sido empregada dele na encarnação anterior. Queriam prejudicá-lo a todo custo, deixá-lo analfabeto, jogado na sarjeta.

Depois de algumas sessões de desobsessão o drama terminou, porém ainda restou um problema de saúde no menino, que foi levado a outro Centro Espírita que realizava cirurgias espirituais.

Foi com alegria que Wellington e Dalva descobriram que o médico espírita que fazia atendimento fora amigo dele, haviam brincado juntos havia mais de trinta anos. Confiantes, marcaram a cirurgia para dali a uma semana.

No dia marcado, Dalva colocou seu garoto para dormir às 20h45. A cirurgia seria realizada às 21 horas.

No momento exato que aconteceria a cirurgia, o menino acordou. Dalva pensou: "Ai, que aflição! Eu estava rezando e pedindo para que meus mentores e médicos espirituais fossem bem-vindos em meu lar e esse menino acorda logo agora!".

Dalva interrompeu suas preces e foi deitar-se com o filho. Depois de certo tempo saiu do quarto e pediu:

– Se a cirurgia foi realizada, dêem-me uma prova para que eu possa providenciar a dieta e o repouso necessários ao meu filho.

No dia seguinte, o filho gritou:

– Peguem-me aqui no quarto, não consigo andar.

Durante o café da manhã, o filho contou, em detalhes, o sonho que tivera na noite anterior. Ele estava rodeado por anjos de asas coloridas; um homem de barba vestido de branco e outros vestidos com roupas cirúrgicas verdes e protetores na boca. Dalva não teve mais dúvida de que a cirurgia fora realizada.

Sempre fazendo a leitura do Evangelho, os irmãos maiores intuíram Dalva a prosseguir na difícil caminhada. Seu filho voltou à escola e durante todo o período escolar não teve mais nenhuma reprovação.

Passados mais de dezessete anos, ele é professor, formado em publicidade, fotógrafo e autodidata em música.

Dalva agradece todos os dias à espiritualidade e a Deus por ele ser, atualmente, uma pessoa equilibrada nesse mundo tão conturbado, cheio de pessoas hipócritas e injustas.

***

Há muitos casos de pessoas que reencarnam e possuem inimigos de outra encarnação que ainda conservam o ódio e desejam vingar-se do que julgam ser seu direito. Nem sempre conseguem. Para que possam atingir seu desafeto na nova encarnação é preciso que a vítima continue ainda pensando da mesma forma, o que vai torná-la vulnerável.

Mas ainda assim, a criança que nasce com esse quadro, se auxiliada por meio da boa educação, da prece e da ajuda espiritual, poderá ter a chance de modificar suas crenças para melhor e gradativamente conquistar sua libertação.

Durante os primeiros anos de vida, a

responsabilidade dos pais é muito grande, porquanto podem observar a interferência de espíritos desencarnados, que sempre deixam sinais de sua presença, e procurar socorro especializado.

Tenho observado que mesmo nos casos graves de dificuldades físicas que tornam o espírito reencarnado sem condições de expressar seus sentimentos, o auxílio espiritual por meio de doações energéticas e da colaboração dos espíritos, possibilita grande melhora, fazendo com que eles passem pela experiência difícil, com mais serenidade e bem-estar.

O mesmo vale também para a educação. Desde a mais tenra idade é necessário falar sobre a espiritualidade, a eternidade do espírito, os valores éticos, a disciplina interior.

Observar as características da criança, sabendo que ela vem de outras experiências em vidas passadas e procurar modificar os traços de comportamento que poderiam induzi-la a mais tarde escolher mal o seu caminho, é dever dos pais.

Dalva foi consciente e fez o que pôde para ajudar o filho. Assim, conseguiu cumprir bem a sua parte. Ela soube ser mãe e obteve excelente resultado.

Caso enviado por:
Dalva A. Fochetto
Rua Erotides de Paula, 25
Poá – São Paulo

Considerações

Ao finalizar este livro, desejo agradecer a todas as pessoas que me enviaram os casos para serem contados em meu programa na rádio Mundial (95,7-FM) e permitiram que seus nomes e endereços fossem divulgados.

Não há autores de ficção que consigam criar histórias mais extraordinárias do que a própria realidade.

A vida continua criando as mais inusitadas situações e tecendo enredos que desafiam a nossa cotidiana compreensão. O que é fascinante.

Tenho em mãos interessantes histórias e pretendo levá-las até vocês em futuras publicações.

É preciso que aprendamos a manter nossa mente aberta, além dos nossos conceitos para sermos testemunhas de leis que revelam os mecanismos da Inteligência Divina.

Só assim poderemos entender melhor a nossa própria trajetória na estrada da vida eterna.

Sucessos de Zibia Gasparetto

Crônicas e romances mediúnicos.
Mais de sete milhões de exemplares vendidos.
Há mais de dez anos Zibia Gasparetto vem se mantendo na lista dos mais vendidos, sendo reconhecida como uma das autoras nacionais que mais vende livros.

Crônicas: Silveira Sampaio

- PARE DE SOFRER
- O MUNDO EM QUE EU VIVO
- BATE-PAPO COM O ALÉM
- O REPÓRTER DO OUTRO MUNDO

Crônicas: Zibia Gasparetto

- CONVERSANDO CONTIGO!

Autores diversos

- PEDAÇOS DO COTIDIANO
- VOLTAS QUE A VIDA DÁ

Romances: Lucius

- O AMOR VENCEU
- O AMOR VENCEU *(em edição ilustrada)*
- O MORRO DAS ILUSÕES
- ENTRE O AMOR E A GUERRA
- O MATUTO
- O FIO DO DESTINO
- LAÇOS ETERNOS
- ESPINHOS DO TEMPO
- ESMERALDA
- QUANDO A VIDA ESCOLHE
- SOMOS TODOS INOCENTES
- PELAS PORTAS DO CORAÇÃO
- A VERDADE DE CADA UM
- SEM MEDO DE VIVER
- O ADVOGADO DE DEUS
- QUANDO CHEGA A HORA
- NINGUÉM É DE NINGUÉM
- QUANDO É PRECISO VOLTAR
- TUDO TEM SEU PREÇO
- TUDO VALEU A PENA
- UM AMOR DE VERDADE
- NADA É POR ACASO
- O AMANHÃ A DEUS PERTENCE
- ONDE ESTÁ TERESA?

Sucessos de Luiz Gasparetto

Estes livros vão mudar sua vida!
Dentro de uma visão espiritualista moderna, estes livros vão ensiná-lo a produzir um padrão de vida superior ao que você tem, atraindo prosperidade, paz interior e aprendendo acima de tudo como é fácil ser feliz.

- ATITUDE
- FAÇA DAR CERTO
- SE LIGUE EM VOCÊ *(adulto)*
- SE LIGUE EM VOCÊ - nº 1 *(infantil)*
- SE LIGUE EM VOCÊ - nº 2 *(infantil)*
- SE LIGUE EM VOCÊ - nº 3 *(infantil)*
- A VAIDADE DA LOLITA *(infantil)*
- ESSENCIAL *(livro de bolso com frases de auto-ajuda)*
- GASPARETTO *(biografia mediúnica)*
- PROSPERIDADE PROFISSIONAL
- CONSERTO PARA UMA ALMA SÓ *(poesias metafísicas)*
- PARA VIVER SEM SOFRER

- Série AMPLITUDE:

1 - Você está onde se põe

2 - Você é seu carro

3 - A vida lhe trata como você se trata

4 - A coragem de se ver

CALUNGA

- "Um dedinho de prosa"
- Tudo pelo melhor
- Fique com a luz...
- Verdades do Espírito

INFORMAÇÕES E VENDAS:

Rua Agostinho Gomes, 2312
Ipiranga • CEP 04206-001
São Paulo • SP • Brasil
Fone / Fax: (11) 2061-2739 / 2061-2670
E-mail: editora@vidaeconsciencia.com.br
Site: www.vidaeconsciencia.com.br